L'AMOUR APRÈS

BIBLIOGRAPHIE

17e Parallèle, la guerre du people, Les Éditeurs français réunis
Ma vie Balagan, Robert Laffont
Et tu n'es pas revenu, avec Judith Perrignon, Grasset

FILMOGRAPHIE

La petite prairie aux bouleaux

Avec Joris Ivens
Au Vietnam : 17e Parallèle, la guerre du peuple
                Rencontre avec le président Hô Chi Minh

Au Laos : Le Peuple et ses fusils

En Chine : Comment Yukong déplaça les montagnes, une série de quatorze films :
    L'Usine des générateurs : Shanghai
    Une femme, une famille : Pékin
    Une caserne : Nankin
    Une répétition à l'opéra de Pékin
    Le Village de pêcheurs : Shantoung
    Les Ouïgours – minorité nationale : Sinkiang
    Les Kazaks – minorité nationale : Sinkian
    Les Artisans
    Le Professeur Tsien : Pékin
    La Pharmacie : Shanghai
    Impression d'une ville : Shanghai
    Entraînement au cirque de Pékin
    Autour du pétrole : Taking
    Une histoire de ballon

Une histoire de vent

Avec Jean-Pierre Sergent

Algérie, année zéro

MARCELINE LORIDAN-IVENS
avec
JUDITH PERRIGNON

L'AMOUR APRÈS

BERNARD GRASSET
PARIS

Photo de bande : JF Paga.

ISBN : 978-2-246-81243-2

*« La vie non vécue est une maladie
dont on peut mourir… »*

C. G. JUNG

J'ai perdu la vue à Jérusalem. Ça n'a rien à voir avec Dieu, je n'y crois pas. Mais ça n'est pas arrivé n'importe où, pas dans n'importe quel décor, c'est arrivé là-bas, comme ça, d'un coup. Et je n'ai pu m'empêcher d'y chercher un sens, un signe. Je cherche encore.

J'étais en train de signer mon livre précédent, quand la femme qui me l'avait tendu a dit : « Excusez-moi, mais vous écrivez toujours sur la même ligne. » J'ai levé les yeux, je ne la voyais pas, comme la file des gens qui attendaient derrière elle, mon histoire et celle de mon père entre leurs mains. J'étais dans le noir.

Nous sommes rentrés précipitamment à Tel-Aviv. J'avais le sentiment que j'allais mourir, qu'il fallait en finir plutôt que de vivre ainsi, mais tout ça, je crois, ne se voyait pas de l'extérieur, je cachais tout, je remettais mon suicide à plus tard, on ne vient pas en Israël pour mourir. Il fallait continuer comme d'habitude. Une fois dans ma chambre, j'ai allumé un pétard, puis un autre. Mon amie Annette était avec moi, je lui parlais de mes noms, de Rozenberg, le plus important de tous qui a pourtant disparu derrière le patronyme des hommes que j'ai aimés ou épousés, ce que j'ai toujours regretté. C'était peut-être ma façon de dérouler mon histoire en sens inverse puisque je la pensais terminée, mais je ne crois pas avoir été dramatique, l'herbe faisait son œuvre, me détendait. Et puis subitement toutes les lumières se sont éteintes, l'hôtel était plongé dans le noir total, d'autant que dehors la nuit était tombée. Et très vite, il est apparu que c'était moi la coupable : en fumant j'avais déclenché l'alarme. Émoi, pour ne pas dire scandale, dans le couloir et les chambres voisines. Je suis sortie, moins paniquée que les autres, j'avais un peu d'avance sur eux dans l'obscurité. Je bafouillais quelques excuses en rigolant, en jubilant aussi, l'hôtel s'était mis à mon diapason, j'y avais imposé un rigoureux shabbat que je ne pratique pas.

Est-ce que je me plaignais, moi, promise au noir pour le restant de mes jours ?

Le lendemain, à l'hôpital de Tel-Aviv, ils n'ont pas été rassurants. Mais, comme la veille, je n'ai pas crié, pas pleuré, je suis sortie entourée de mes amis, scandalisée de ne plus y voir, et j'ai dit que j'avais envie d'aller déjeuner au Bergounia pour y commander des petits calamars frits. Ils sont tendres là-bas, rien à voir avec ceux qu'on nous sert en France, et ils me rappellent ces dimanches de mon enfance, quand nous allions à la campagne avec mes parents, manger des petites fritures.

J'ai bu du vin blanc pour accompagner le poisson. Très vite, j'ai été légèrement soûle, j'ai laissé les autres, je suis passée dans l'autre salle, je me suis frayé un chemin dans la foule, ça sentait le cannabis, la jeunesse et l'ivresse.

— Vous pouvez m'en donner ? J'avançais en tâtonnant, les sièges devant le bar étaient si hauts qu'ils m'arrivaient quasiment à la hauteur du nez, je touchais les gens, ils me tendaient leur joint, je tirais dessus, je le leur rendais, je les faisais rire, mais en moi un compte à rebours avait commencé qui disait : Je ne vivrai pas comme ça. C'était comme un dernier acte et il me donnait une force incroyable. Soudain, j'ai buté sur un homme, je me rappelle avoir d'abord senti ses muscles, et m'être dit qu'il était jeune, il avait le corps tendu d'un travailleur. Comme pour m'aider, la musique s'en est mêlée, le jeune travailleur et moi nous sommes mis à danser, c'est peut-être moi qui lui ai proposé sans lui laisser la possibilité de refuser, je ne sais plus. D'autres dansaient déjà autour de nous.

— Vous êtes juif ? je lui ai demandé.

— Oui.

— Vous êtes d'où ?

— Je suis libanais.

Nous dansions. Moi accrochée à lui, dans l'obscurité. Mes pas dans les siens. Il a vu mon matricule.

— Tu étais là-bas ?

— Oui.

— Quel âge avais-tu ?

— Quinze ans.

Nous dansions un tango.

— Ce qui est terrible, c'est que ça va partir avec moi. Ça va disparaître.

Nous dansions encore.

— Est-ce que tu sais que des enfants ou des petits-enfants de déportés se font tatouer le numéro de leurs parents ?

— Oui, je sais.

Nous dansions toujours.

— Alors ce numéro, je te le donne. Je n'ai pas d'enfant. Je vais mourir bientôt, mais je ne veux pas que cette histoire meure avec moi. Prends ce numéro et note-le sur ton bras.

Nous nous sommes arrêtés. Une jeune femme m'a frôlée. Au toucher de ses vêtements, j'ai deviné qu'elle était bien habillée, plutôt élégante.

— Vous voulez bien mon numéro vous aussi ? Je ne peux pas le donner seulement à un garçon, je suis une femme. Il faut que je le donne à une femme.

Elle est allée chercher du papier. J'ai écrit comme j'ai pu 78750 et dessiné la moitié de l'étoile de David, comme les nazis nous l'avaient tatouée. Qu'en ont-ils fait ensuite ? Je n'en sais rien. C'était shabbat. J'ai continué à danser dans le noir. Ivre de chagrin. Ivre de moi-même. Je suis une fille de Birkenau et vous ne m'aurez pas.

— Tu as mangé, tu as bu. Puis tu t'es levée, tu es allée au bar attenant, tu savais qu'on y fumait. Tu étais très gaie, très ailleurs, tu planais toute seule. Tu as conquis la salle. Quand on te connaît, on n'est pas surpris.

Jean-Pierre était à Tel-Aviv avec nous ce soir-là, j'avais voulu qu'il m'accompagne et découvre Israël. Il est assis chez moi maintenant. Il a apporté un cornet de marrons chauds dans du papier journal, qu'il a acheté devant l'église Saint-Germain. Cette odeur-là sort tout droit d'un autre siècle, le nôtre, quand nous étions jeunes et amants. Saint-Germain-des-Prés était alors le lieu du mélange, des idées, des lettres, de la musique, des mondains, des égarés, des artistes noirs américains plus à l'aise ici que chez eux, nous vivions dehors, nous

nous asseyions sans prévenir aux terrasses des cafés, sûrs d'y retrouver des amis et d'improviser quoi faire ensuite. Les gens qui traînent se trouvent vite, ils n'ont pas besoin de se donner rendez-vous.

Jean-Pierre avait dix-huit ans, il était encore mineur, étudiant à la Sorbonne, et moi une jeune femme de trente ans à peine divorcée, qui venait là après le travail. J'étais enquêtrice pour un bureau de psychosociologie appliquée qui me payait à l'interview et à l'analyse de contenu, un genre de cabinet-conseil comme il en fleurissait beaucoup et qui n'était bien souvent que l'agent double d'une société de consommation émergente. J'y étais entrée comme *ronéoteuse*, autant dire tout en bas de l'échelle des salaires, et j'y avais retrouvé par pur hasard Emeric Deutsch, Juif hongrois réfugié qui venait manger chez ma mère le dimanche, après la guerre, et que j'avais depuis perdu de vue. Il en était le directeur désormais. Très vite je lui ai demandé de me faire faire des enquêtes, c'était mieux payé. Il n'était pas très chaud, je n'avais aucun diplôme, rien, mais j'insistais, et sans détours, l'ancien résistant juif hongrois ne pouvait pas refuser ça à une ancienne d'Auschwitz. Il m'a finalement laissée faire un essai, confié une étude sur la consommation de tabac dans des coins reculés. Je n'avais pas de concepts en tête, mais de la spontanéité et de l'empathie pour les gens. Je suis devenue enquêtrice et, sitôt mon travail terminé, je filais vers Saint-Germain-des Prés où j'avais fini par devenir une silhouette familière, une habituée des nuits tombantes dans le miroitement des lampadaires et des bistrots. Je ne m'habillais pas de noir comme les filles du quartier, j'accentuais le roux de mes cheveux, j'optais pour des robes à couleurs vives, des pantalons, j'avais besoin qu'on me remarque, qu'on m'entoure, qu'on m'accepte, et je demandais à tous les artistes et intellos du périmètre ce que je devais lire. Gracq ? Je notais puis j'achetais. Faulkner ? D'accord. Il m'en reste des listes d'auteurs et d'œuvres, que je classais par époque, par pays, sur des feuilles volantes ou dans des petits carnets à spirale. Je construisais une bibliothèque imaginaire devant moi, un peu comme on pave son chemin. En me déportant, on m'avait aussi arrachée à l'école, et je préférais me pencher sur ce que je n'avais pas appris que sur ce que j'avais vécu.

J'allais vers des gens plus jeunes que moi, vers une génération plus curieuse de la guerre que la mienne qui préférait oublier. Brecht venait de mourir. La guerre d'Algérie ravivait l'idée de résistance. Je cachais mon numéro sous des manches longues, mais je me suis déchaussée quand une fille m'a demandé si je n'avais pas de corne aux pieds comme tous les Juifs. J'étais indissociable de cette histoire. Et beaucoup de ceux qui m'entouraient, me conseillaient et d'une certaine façon me protégeaient. Ils ne me parlaient pas de ma déportation. J'étais pour eux la braise au milieu des cendres. Rien qu'en étant là, je les rassurais. Et réciproquement. Sur l'échelle des relations humaines, il y avait de simples connaissances, des amis, des amours possibles ou impossibles. Sentaient-ils en eux, aussi fort que moi, l'inutilité de leur existence ? Ils erraient d'un café à l'autre, indifférents. Ils se donnaient une apparence affairée et importante. Qu'espéraient-ils ? Était-ce là leur refuge ? Leur quartier général ? Georges Perec et son ami Roger Kleiman s'installaient au Petit Suisse, un bistrot derrière le Théâtre de l'Odéon. Longtemps, ils ont insisté pour que je passe l'équivalent du bac afin de reprendre les études. Ils m'ont présenté Jean-Pierre, qui est entré dans ma vie comme professeur de philosophie.

— Je me souviens que Perec était très sensible à ton histoire. Mais c'est Roger Kleiman qui m'a contacté. J'étais en philo à la Sorbonne. Il m'a dit que c'était important pour toi mais il m'a tout de suite mis en garde contre ta tendance à draguer les mecs. J'avais juré que rien ne pouvait arriver, tu étais trop vieille ! Ça a pourtant été rapide. Tu installais la séduction. Moi je préparais les cours très sérieusement et tu arrivais insouciante. Je ne crois pas vraiment que tu avais envie d'apprendre, tout ça t'amusait en fait.

— Ce n'est pas vrai. Mais je comprenais à peine la moitié de ce que tu disais.

— Tu te souviens de la fois où tu as téléphoné à Merleau-Ponty ?

— Non.

— J'avais corrigé un devoir que je t'avais donné, j'étais là avec ta copie à te faire des remarques, quand soudain tu t'es levée, tu l'as appelé, et tu lui as lu mes corrections à voix haute, pour te moquer de moi, me montrer que tu connaissais de vrais philosophes. J'étais fébrile.

— Il était déjà mort Merleau-Ponty non ?

— Pas encore, et je n'ai jamais oublié ce qu'il a dit dans le téléphone : il est très bien ce prof. Tu n'avais pas à te plaindre du niveau.

— Non. Le niveau était parfait.

— Mais tu avais d'autres objectifs avec moi. Tu m'as dragué.

— Tu t'es laissé draguer.

— Tu draguais directement jusqu'à monter sur un escabeau pour m'embrasser.

Je ne me souviens pas d'être montée sur l'escabeau. Ni avoir appelé Merleau-Ponty. C'est drôle de se voir agir dans le récit et les souvenirs des autres. J'ai l'air de ne pas avoir peur. J'avais un comportement décousu sans doute, mais sans en avoir conscience. Je me cherchais dans les regards et je ne voulais pas y voir mon âme perdue. Qu'est-ce qu'une âme perdue ? C'en est une qui tâtonne dans la nuit, sur les routes du souvenir. Il faut agir follement pour ne pas la laisser voir.

Je n'ai jamais passé mon bac, ni l'équivalent, et jamais repris les études. Mon histoire avec Jean-Pierre s'est étirée, légère, à éclipses, politique aussi. La décennie cinquante touchait à sa fin, les folles années soixante s'annonçaient. Nous avons intégré ensemble le réseau Jeanson qui s'organisait pour aider les militants de l'indépendance algérienne, notre liaison s'est doublée de cette aventure clandestine. Tout était transgressif, nos dix ans d'écart, notre activisme. Il avait quitté sa chambre d'étudiant pour venir s'installer chez moi. Il faisait des missions de liaison, portait des plis en Allemagne, organisait des passages de frontières pour des Algériens auxquels il donnait rendez-vous sur une route départementale, le capot de la voiture levé comme s'il était en panne. Chez moi, on comptait l'argent, il y en avait pour des millions, des liasses étalées sur les tables et sur mon lit. J'ai connu une perquisition à six heures du matin, la police n'a rien trouvé à part le livre d'Henri Alleg, *La Question*. Je me souviens de l'un d'eux dans son imperméable qui m'a dit : « Vous êtes juive. Vous verrez qu'un jour, ils se retourneront contre vous. » J'ai été interrogée pendant des heures, mais il leur était de toute façon impossible de me mettre en prison. Pas une fille de Birkenau.

— Ce réseau était un remake de la Résistance. C'était stimulant et ça a mis du piquant dans notre relation. À un moment, ils se sont mis à me chercher, je risquais dix ans de prison devant le tribunal militaire du boulevard

Raspail. Je me suis planqué en Belgique pendant deux mois. Notre relation est devenue plus distendue, tu étais jalouse et tu m'as déchiré le visage de tes ongles quand tu as découvert qu'une autre fille était venue.

— J'avais une certaine idée de la fidélité en ce temps-là. Et toi tu étais un cavaleur.

— Quand je suis revenu, nous étions toujours ensemble. Mais notre relation souffrait de mon inconstance, de mes infidélités. Parfois je partais m'installer à l'hôtel pour quinze jours, puis je revenais chez toi.

— J'étais très amoureuse, on était très attachés, je ne me suis jamais détachée.

Lui non plus d'ailleurs, puisqu'il est toujours là. Mais c'est lui qui m'a quittée. Je vacillais, je n'ai pas pu retenir mes larmes devant la caméra de Jean Rouch et Edgar Morin qui tournaient alors *Chronique d'un été*. Ils avaient fait de nous, parmi d'autres, des personnages d'un cinéma-vérité éphémère mais devenu culte. J'avais commencé le film d'un pas plutôt alerte, j'y étais ce que j'étais dans la vie, une enquêtrice, je tendais un micro aux gens de Paris, je leur demandais : « Êtes-vous heureux ? » La question arrivait avec un peu d'avance, elle envahirait l'avenir et finirait en mauvais slogan publicitaire, mais à l'époque, les gens ne se la posaient pas, pas comme ça, ils se débrouillaient entre joies et mauvais coups de l'existence, et je faisais comme eux. Cette question était dangereuse pour moi. Est-ce que je suis heureuse ? Est-ce que je peux être heureuse un jour ? Elle risquait de me faire tomber. Bien sûr, le film a agi comme un piège et a fini par retourner le micro vers moi. Et alors, j'ai dit ma déportation, la mort de mon père, j'ai montré mon matricule à la caméra, et j'ai pleuré car Jean-Pierre était en train de me quitter. Tout n'est pas resté au montage. Mais le temps de ce film, mon armure était tombée. J'avais trouvé un écran pour me confier. Un double de moi-même.

Aujourd'hui encore, je voudrais consoler cette jeune femme qui pleure sur les rushes. Je sais ce qu'elle ne dit pas, je sais depuis quel trou elle pleure, je sais qu'elle vit comme si elle allait mourir demain, que tous les jours qui passent ne sont pas la vie, mais du rabe qu'on lui a laissé et qu'elle n'a pas le droit de gâcher.

— Aimer quelqu'un c'est l'aider à vivre. Est-ce que tu crois que tu m'aides à vivre ? demande-t-elle.

— Non, pas du tout, répond Jean-Pierre.

Il y aura plus de dix prises de cette scène. « Jetée 11e ! » crie Jean-Pierre sur les rushes. Aucune ne sera retenue au montage, c'était presque trop beau pour être vrai, on dirait deux acteurs lui et moi, ça n'allait pas avec leur idée du cinéma-vérité, mais plus on tourne notre rupture, plus il se sent libre de me quitter.

— Tu crois que tu m'aimes encore ? demande la jeune femme.

— J'en sais rien. En tout cas, ça ne sert à rien.

Il ne l'aime plus.

Je voudrais tant lui dire que tout va bien se passer, qu'un homme très important est sur le point d'entrer dans sa vie, et que Jean-Pierre n'en est jamais sorti, qu'il est là face à moi dans le salon, avec des marrons chauds, qu'on ne s'est jamais perdus de vue, que la différence d'âge n'a pas bougé, mais qu'il fait moins le malin maintenant qu'il a soixante-quinze ans ! Il vient souvent. On rigole, parfois on boit beaucoup trop, jusqu'au vertige. Si aimer quelqu'un c'est l'aider à vivre, comme dit la jeune fille du film, alors je suis sûre qu'il m'a aimée.

Il est flou maintenant, comme tout le monde depuis que j'ai perdu la vue à Jérusalem.

L'intervention chirurgicale en urgence qui a suivi mon retour, puis les piqûres régulières ont ramené un peu de lumière dans mes yeux, mais les lignes ne sont plus droites et les visages pas nets, je devine leurs mouvements, leurs sourires, mais pas les détails. Les regards surtout me manquent. La rue est désormais pleine de gens sans tête, des corps décapités qui foncent vers moi et me font peur. Je ne sors plus seule. Il n'y a que le timbre des voix familières, les visages amis que ma mémoire recompose pour préserver une continuité à ma longue vie. Il n'y a donc que chez moi que tout semble simple, la bouilloire est sur le côté droit de l'évier, le vin blanc et le jus de grenade dans le frigo, mes médicaments et la boîte de mouchoirs sur la table, mes lunettes égarées forcément pas loin, il y a le portrait de mon père à l'entrée de ma chambre, les piles de livres un peu partout dans le salon, les dossiers que ma sœur Jacqueline m'aide à mettre à jour, le César que Joris et moi avions remporté, les orchidées qu'on m'a offertes pour mes quatre-vingt-neuf ans, je vois tout. Même les motifs blancs sur la nappe bleu ciel posée sur la table de la cuisine. Elle appartenait à ma mère, elle fut mise en vente au temps des jeux Olympiques de Berlin en 1936, je vois le bateau, les vieux skis, les raquettes et les anneaux olympiques, je vois même les taches et je les frotte énergiquement d'une éponge humide pour ne pas abîmer cette nappe de mon enfance. Tout est à sa place, tout est là, au bout de mes gestes, comme si rien n'avait changé.

Il y a du neuf pourtant, une machine qui m'aide à lire. Elle est posée à côté de mon bureau, c'est un bloc de métal froid avec une surface plane et vitrée, une loupe, une lumière puissante, l'écran devant moi qui grossit tout, d'une police à deux décimales. Elle pourrait même parler cette machine, lire à ma place, mais je ne veux pas de son lecteur vocal, je prends mon temps, je déchiffre, je ne veux pas d'une voix synthétique, j'ai la mienne. Je lis avec mes souvenirs, mes yeux faibles, mes colères, et je relis, je fouille chez moi, puisque dehors m'est devenu indéchiffrable.

J'ai ouvert une vieille valise à laquelle je n'avais pas touché depuis plus de cinquante ans. Je l'avais bouclée en déménageant ici rue des Saints-Pères avec Joris, en me promettant sûrement de faire le tri, ce que je n'ai jamais fait. Elle déborde de papiers jaunis, listes de livres à lire que je réclamais et au bout desquelles jamais je n'arriverai, programmes de théâtre, vernissages d'expos, textes politiques, factures de gaz et d'électricité, enveloppes déchirées envoyées rue Condorcet chez ma mère, puis rue de Chéroy, adresse de mon premier appartement dans le XVIIᵉ arrondissement.

Il y a là la preuve que Jean-Pierre m'aimait. Ce petit mot écrit au crayon noir, signé Ton Jules, qu'il avait probablement laissé sur une table avant de sortir : « Espère-moi, et si je suis long à revenir, profites-en pour faire des confitures. Pascal disait : "Tout le malheur de l'homme vient de ce qu'il ne sait pas rester enfermé dans une chambre." » Il cite Bachelard aussi.

Il y a là mes années cinquante, du début à la fin, des voix de l'après-guerre, de Saint-Germain-des-Prés alors plein de gens qui cherchaient à se désaxer, à dévier, à devenir autre chose qu'un commerçant, un employé, autre chose que de bons pères ou mères de famille. La différence c'est qu'ils avaient un scénario à fuir, moi non, pour moi rien n'était écrit d'avance, j'aurais dû être morte. « Nous, m'écrit Emeric au mois de novembre 1951, nous c'est autre chose, on est des irrécupérables, ce n'est même pas la peine d'essayer de retourner dans la société. Notre cas est justement l'opposé, nous n'aurions jamais dû subir la contagion bourgeoise qui nous a contaminés d'exigences auxquelles nous ne pouvons pas subvenir en dehors de la société. »

Cette place ou cette vérité que nous cherchions maladroitement mais urgemment, comme si nous n'avions pas droit à l'erreur, était un leurre, mais qu'importe, seuls comptaient le mouvement, la tension, la quête, qui décidaient de nos rencontres, provoquaient nos amitiés et nos amours. La jeune fille a laissé beaucoup de choses. Un carnet de santé à en-tête du ministère de la Guerre. En 1957, déjà le cœur fragile, déjà de l'arthrose. La jeune fille ne l'est déjà plus. Le camp a attaqué son corps à défaut de l'avoir brûlé.

Il y a là une lettre douloureuse qu'elle écrivit à Jean-Pierre. Est-ce un brouillon ou bien ne l'a-t-elle jamais envoyée ? Je ne sais plus.

« Je crois connaître assez la souffrance physique, mais c'est le pire de tout, de sentir son âme mourir. Il me semble voir maintenant des visions d'une nouvelle vie commune que nous pourrions mener quelque part, il me semble nous voir vivre en quelques pays provençaux où nous aurions trouvé la paix. J'ai cherché délibérément à lutter contre mon amour pour toi. Je ne peux que m'y soumettre – je voudrais pouvoir m'agripper à toutes les branches, toutes les racines qui pourraient m'aider à franchir cet abîme de ma vie. Mais je ne puis me leurrer plus longtemps. Si je dois survivre il me faut ton secours. Autrement, tôt ou tard, je tomberai. »

Mais non jeune fille, tu ne tomberas pas. Que d'hommes au supplice dans ta valise, qui réclament un message, des nouvelles, un « pneu » ! (qui sait encore ce que c'est qu'un pneu ?). « Marceline, alors encore disparue ? » Sa signature est illisible à celui-là. « Quelle est la cause de ce silence ? », demande François qui vit à Lausanne, dont je ne me souviens pas. Et ce Jack de l'année 1951, qui m'appelle « petite fille », m'envoie des poèmes, des dessins, qui est-il ? Je les ai oubliés. Parfois, j'ai l'impression que c'est la valise d'une autre. Je l'appelle Valise d'amour.

Elle a voyagé, intacte, depuis un temps chargé de courrier, de phrases longues, grandiloquentes mais belles. Toutes ces pages n'ont pas toujours de date, encore moins de visage, mais elles supposent qu'un homme s'est assis devant une table, un stylo à la main, qu'il a pris le temps de chercher les mots, peut-être de me répondre. Nous écrivions bien je trouve, et qu'importe finalement que l'élan ait duré une heure, une semaine, un mois ou un an, je sens nos cœurs serrés d'alors, l'ombre de la guerre derrière nous, qui nous commande de vivre. Le téléphone existait mais il balbutiait, et il ne suffisait pas à nos esprits chargés. Il fallait que nous fassions des phrases amicales, amoureuses, fâcheuses et menteuses. Il nous fallait nous écrire pour raisonner et nous orienter dans ce monde. Nous allions dans les graves du drame, puis dans les aigus du bonheur. Tout est là, dans une valise. Et c'est maintenant que je n'y vois plus grand-chose que je me décide à l'ouvrir. C'est là que surgit l'amour, puisqu'il faut bien qu'on en parle, là que commence le ballet des hommes qui a chassé le nom de mon père de mon état civil.

Qui est cet Yves qui écrit sans cesse ? Un peintre je crois, il m'avait fait venir chez ses parents, un appartement luxueux et mal entretenu. C'est flou. Mais au vu des lettres qui ressurgissent, ce fut difficile, houleux, en voilà une qui prétend être la dernière, il promet qu'il ne me dérangera plus : « Et bientôt peut-être, je souhaite que cela soit le plus tôt possible, je reviendrai t'apporter mon amitié, ma véritable amitié lorsque j'aurais conquis assez de choses, détruit en moi les défauts pour que tu n'aies plus affaire à un fils de famille pourri d'orgueil, élevé mal, dans un esprit de supériorité, de suzeraineté même... » Qu'avais-je dit pour qu'il prenne toutes les fautes à sa charge ? Qu'avais-je cherché à allumer dans le regard de ces inconnus, sinon la certitude d'être vivante, une image de moi qui ne serait pas celle que je portais dans ma tête, qui me rendrait plus séduisante à moi-même. Mais n'est-ce pas ce que tout le monde cherche dans les yeux de l'autre ? La jeune fille était probablement plus exigeante, plus gourmande que la moyenne. Elle avait déjà deux tentatives de suicide derrière elle. Je me souviens d'elle allongée sur un lit d'hôpital, qui cherchait à fixer un point indéfini sur le mur immaculé pour ne plus entendre les gémissements des autres, pour tromper le temps, les allées et venues des infirmières au masque dur et impassible, mais qui finissait par se retrouver face à elle-même, qu'était-elle devenue, sinon encore un numéro à qui il fallait administrer ceci et cela. Il lui fallut de bonnes raisons de s'aimer un peu une fois dehors, il fallait l'aimer beaucoup. « Oui, Rose de la montagne, la lumière qu'il nous fallait pour éclairer la beauté de vos vingt ans, c'est à moi qu'il échoit de vous l'apporter, écrit Marcel en 1948. Je sais que vous répétez mon nom sans rime ni raison, qu'à toutes les questions qu'on vous pose vous répondez Marcel et que vous êtes incapable de penser à autre chose depuis le 6. » C'est drôle.

Dix ans de ma vie défilent sous la machine, lettres de Francis, mon premier mari, lettres de mon petit frère, de mes sœurs, d'amies mariées qui s'éloignent, d'hommes qui disent m'attendre et dont je ne me rappelle pas. Et subitement je réalise qu'il manque quelque chose. Dans toutes ces lettres, il n'est jamais question de ma déportation. Je n'en parle pas et les autres non plus.

Et puis d'entre les papiers surgit une demi-page déchirée, quelques lignes, mon écriture, « Comme il faut peu de choses pour que reviennent les souvenirs qu'on avait gommés, si enfouis au plus profond qu'ils en étaient anéantis. À quoi bon en rendre compte ! Non décidément je n'écrirai pas... Il ne faut pas, il faut "continuer". » C'est une lettre à moi-même. La jeune fille qui interrompt la survivante : « Tais-toi, tout dire, c'est mourir. » Elles cohabitent dans le même corps, l'une cherche la vie, l'autre flirte encore avec la mort. Il m'a fallu du temps pour les réconcilier.

Pourquoi avoir gardé ce mot ? Pour un jour le glisser dans la machine à lire des mal-voyants, poser la demi-feuille jaunie sur la surface vitrée, mon encre noire sous la forte lumière, mes mots secrets sous la puissante loupe, et me dire : J'ai continué. J'ai même fini par écrire ce qui m'est arrivé. Alors tu vas continuer, jeune femme, te laisser porter par les courants, les combats, le désir des hommes. Et le jour où tu deviendras une vieille dame aveugle, tu seras plus forte que n'importe qui, tu trouveras un jeune homme pour te faire danser.

C'est parmi les survivants que j'ai commencé à chercher l'amour. Ce n'était pas un choix, juste une question de cercles, de Juifs entre eux, de familles juives entre elles qui rêvaient de marier leurs enfants. Comment ai-je rencontré Freddie ? Je ne sais plus, peut-être par une amie. Il m'a plu, brun aux yeux verts, pas très grand mais suffisamment pour moi. Tout pourtant chez lui redessinait les contours du camp : son père mort là-bas comme le mien, sa mère revenue mais folle et de nouveau en couple avec un médecin juif polonais, silencieux et endeuillé. Au 10, boulevard de Strasbourg où ils habitaient, Freddie, ses deux sœurs, sa mère et le médecin mutique, la guerre semblait n'avoir pas fini sa rafle. Freddie travaillait, il était coupeur et m'avait cousu une veste grise avec du velours côtelé noir que j'adorais. On a commencé à sortir ensemble, à s'embrasser, se bécoter, je le laissais faire, de plus en plus pressant, je savais où nous allions, ou plutôt où il fallait aller, ça ne m'intéressait pas, ça me faisait peur, mais bien au-delà de la crainte de la première fois, bien au-delà du risque de tomber enceinte, je fuyais mon propre corps, sa mise à nu, à jamais associée pour moi à l'ordre d'un nazi, à son regard humiliant tandis qu'on nous rasait la tête et le sexe, à son verdict : la mort ou le sursis. Jamais, avant le camp, je ne m'étais déshabillée devant quelqu'un, jamais je n'avais vu le corps de femmes nues, ni celui de ma mère, ni celui de mes sœurs. J'ai découvert le mien en même temps que je l'ai su condamné. J'en ai fait une quantité négligeable. Secondaire. Il fallait juste qu'il tienne, qu'il soit sec et solide. J'ai tout vu de la mort sans rien connaître de l'amour.

Là-bas, il survivait au creux de certaines conversations, l'amour, comme un vieux souvenir, un écho lointain de la volupté, parmi des femmes tondues, devenues maigres et osseuses en quelques semaines, les mêmes qui se maquillaient parfois outrageusement à Drancy, plus séductrices que jamais dans ce camp de transit mixte qui autorisait nos derniers feux. Il avait même surgi dans les yeux de ce tsigane qui s'amouracha de mon amie Françoise au point de lui donner son pain. Et il fut comme un conte de fées quand nous apprîmes l'évasion de Mala avec son amoureux, puis une tragédie antique quand elle fut reprise et condamnée à mort sous nos yeux. Mais moi, pour moi, jamais je n'y ai pensé là-bas. L'amour était une contrée inconnue. J'avais à peine frémi avant mon arrestation, je m'étais laissé embrasser sur la bouche par Mireille du haut de ses treize ans, la fille du patron de la briqueterie s'était entraînée sur la gamine du château, j'avais l'impression d'avoir fauté et j'avais mis plusieurs jours à revenir la voir. Plus tard, j'avais donné mon premier baiser avec le frisson de l'interdit à un garçon qui s'appelait Lutek. Mais à peine arrêtée, ces sujets-là se sont envolés, mes règles ne sont plus venues. J'étais un très jeune bourgeon que la guerre avait gelé sur pied. Et pour longtemps.

Au camp, j'étais à l'écart, toute petite parmi des détenues qui me toisaient ou me maternaient, et m'écartaient quand elles se mettaient à murmurer. Je craignais les kapos. La Drexler, comme on l'appelait, m'a battue, dérouillée, j'ai eu envie de la tuer. Une autre, très belle, d'une cruauté sans limite. Toutes avaient quelque chose de salace, de violeur dans le regard, j'espère qu'elles ont fini pendues. S'il y eut de la prostitution, des amours saphiques, des caresses entre femmes, je n'en ai rien vu, rien compris, j'aimais l'amitié de Françoise, chanter avec Dora, partager des secrets avec Simone installée sur la coya face à la mienne par-delà la travée, mais c'est tout. J'avais quinze ans, prétendu en avoir dix-huit pour échapper au gaz, et le bloc m'en donnait douze. J'étais une petite fille pour les autres, et lorsque des années plus tard j'ai vu le film *Le Tambour*, j'ai senti ma ressemblance avec ce garçon figé dans son corps de trois ans pour traverser la guerre.

« Quel âge as-tu, Marceline, en dehors de ces additions chronologiques qui te concernent si peu, puisque, à quatorze ans, tu as tout appris et qu'à trente-trois en toi rien n'a vieilli ? »

C'est une lettre d'Edgar Morin que j'ai retrouvée. La valise agit comme la marée, et son ressac dépose entre mes mains un désordre de signatures et de dates. Celle-là est du 18 mars 1960, veille de mon anniversaire. Et c'est l'une des très rares qui évoque ma déportation.

Mais j'ai découvert l'autonomie à Birkenau. J'étais seule, sans famille, contrairement à Simone qui survivait sous le regard de sa mère et de sa sœur. Et quelque chose s'est enclenché pour moi, un processus, un sentiment de liberté – drôle de mot je sais pour évoquer Birkenau – mais ce moment où personne ne vous protège et ne vous commande, ce moment où il faut vivre, en l'occurrence survivre, seule. Ce moment où l'on quitte ses parents.

Et la jeune fille au bras de Freddie est le produit de cela. Elle n'a jamais senti la montée de sève qui affole l'adolescence, elle n'a aucun fantasme sexuel, elle garde un corps d'enfant, elle ne sait rien des sentiments, mais elle a rejoint le monde en paix, la ville, ses frôlements, ses regards, elle s'insère dans ce jeu, car elle a besoin d'un homme pour fuir sa mère qui veut reprendre le contrôle de sa vie, la marier, la caser. Elle cache le numéro sur son bras, elle aime les chapeaux à voilette, les gants, elle va dans la jolie veste que lui a taillée Freddie ou les vêtements que sa mère lui fait faire chez les couturières, une redingote en velours bleu marine, une robe noire à manches ballon, une robe-parapluie aussi. Elle glisse des talonnettes dans ses chaussures tant elle se trouve trop petite. Tout le monde a quelque chose à cacher, elle, c'est une survivante qui trimbale son enfer avec elle, qui commande encore à ses nerfs, à ses muscles, et a tout asséché en elle. Elle laisse les mains de Freddie se promener sous ses vêtements, elle ne sent rien, son corps ne frémit pas, ne se réchauffe pas, ne s'excite pas sous les caresses insistantes. Elle finit par dire oui et je n'ai pas souvenir d'un sentiment de plénitude. C'était fait, voilà tout.

Quand nous sommes partis camper à Ris-Orangis, qui était alors la campagne, ma mère s'est inquiétée, mais trop tard !, de ma chasteté. Comme elle s'était inquiétée de savoir si j'avais été violée à Auschwitz, ce qui aurait selon elle compromis mon mariage. L'ordre social et maternel consistant à empêcher toute pénétration avant la nuit de noces avait fini par me rendre le sexe plus intéressant. Mon plaisir, à défaut d'être charnel, c'était de mentir à ma mère, d'autant que peu de filles acceptaient de faire l'amour à cette époque. Chez moi, c'était devenu une façon claire d'affirmer mon autonomie, ma liberté. Alors, quand Freddie m'a demandée en mariage, j'ai refusé. Il avait,

comme moi, mission fixée par des parents survivants de se marier vite, de faire des enfants
et d'oublier. Je l'ai quitté. Je sais qu'il est mort
jeune, qu'il a probablement senti ma raideur
entre ses bras. Mais avec lui, besoin de rien
raconter, ni d'expliquer, il savait, il fuyait cette
trop grande part de nous-même qui ne demandait qu'à nous dévorer.

Après Freddie, il y a eu Vladimir. J'avais
oublié qu'il fut également question de mariage,
mais la lettre sur papier bleu d'un ami que je
surnommais Gribouille est là pour me le rappeler. « J'ai appris que Vlad a été trouver ta
mère et a fait un raffut du tonnerre au sujet de
votre mariage (félicitations pour les heureuses
fiançailles !). » J'ai dû refuser, je n'étais pas
amoureuse. J'ai décliné plusieurs demandes, je
vivais des histoires en sachant que je n'irais pas
au bout, je faisais l'amour librement mais sans
ressentir plus que la première fois, il n'y avait
pas non plus de distorsion en moi, pas de peur,
mon corps restait secondaire, il se conformait
à ce que l'on attendait de lui, tandis que ma
tête rêvait d'un prince charmant et se disait, en
l'attendant : s'offrir c'est désobéir.

Parfois des fantômes me frôlaient. Je me rappelle avoir croisé sur les Grands Boulevards un

garçon qui flirtait avec Françoise à Drancy. Il n'avait finalement pas été déporté, il m'a dit qu'il s'en allait danser dans un endroit qui s'appelait le Rêve, un dancing sous le Rex. Je lui ai expliqué que Françoise ne reviendrait pas, mais il l'avait oubliée. Je ne lui en voulais pas, je faisais de même. Plus tard, je suis allée danser au Rêve.

Et puis il y a eu Camille. J'avais dix-neuf ans. Ses parents avaient été des amis de mon père. C'est un jour où j'allais chez eux, rue de Cléry, que je l'ai rencontré. Il ressemblait à Marlon Brando. Il faisait de la boxe. Il avait un camion. Et chez lui, j'avais le sentiment d'être en famille, peut-être à cause de la sœur manquante dénoncée par les parents de son fiancé pendant la guerre et jamais revenue. Il y avait trois garçons, une fille et une absente. Alors ils m'aimèrent tous beaucoup, tant que je ne réclamais pas qu'on m'épouse. Camille s'attendait à ce que je sois déjà dépucelée. Avec lui, pour lui, j'étais très affranchie. Ma mère n'était pas là pendant la semaine, elle partait tenir sa boutique à Epinal, nous pouvions donc faire l'amour à l'appartement, ou dans le camion, sans que je ressente plus qu'avec un autre. Mais je n'en parlais pas, il faut en être conscient pour l'exprimer, et je ne l'étais pas encore.

Il m'a fallu du temps pour comprendre que le plaisir vient du fantasme, puis de l'abandon. J'avais peur de l'abandon, c'était l'une des pires choses au camp, se relâcher, abandonner la lutte de chaque jour, flirter avec volupté vers l'idée que tout vous est égal, et devenir une loque qui n'attend plus que la mise à mort. Il m'a fallu faire taire la mauvaise voix en moi, celle qui parle la langue du camp, qui est chargée de son inhumanité, qui nous dédouble sans cesse, moi et bien d'autres qui ont connu le même sort. Ce que je cherchais dans l'étreinte d'un homme, c'était une place dans ce monde, une échappée, mais qu'avais-je à lui offrir en retour ? Pas grand-chose. Chaque fois je m'enfuyais. J'avais besoin d'éprouver ma liberté.

« Que se passe-t-il ? Je suis rentré chez moi environ à minuit (puisque vous me disiez ne venir que très tard) et j'ai attendu, attendu toute la nuit… » Tous ces mots d'attente… « Jamais trop mon tourment, mon amour, jamais trop… » Et ce grand malentendu de l'amour qui laisse croire au délaissé que l'absent est éperdu de bonheur. Je ne l'étais pas.

41

Au bout d'une heure entre valise et machine, je finis par me lasser de ces mots enflammés signés d'hommes dont la disparition n'a laissé aucun trou dans ma vie. Comme une page chiffonnée qu'on déplie, la mémoire se laisse lire, et c'est moi, c'est ma vie qu'elle dévoile. Si je ne viens pas, si je recule, si je pose des lapins, c'est que je ne suis pas nette, pas franche, je n'ai pas grand-chose à donner et je ne sais pas le donner, je ne sais pas lâcher prise, je n'aime pas qu'on me touche, je n'aime pas me déshabiller. Sans qu'ils le sachent, et sans que je le sache non plus d'ailleurs, je déposais mon passé, mon impasse, ma dureté entre leurs mains, même brièvement. Ce que l'on met de soi en l'autre est tellement plus vaste qu'on ne le croit.

« *Vendredi 23 heures*

Chère Marceline

(Je m'étais promis de ne plus fumer après m'être mis au lit, et j'ai une cigarette à la bouche, c'est un peu triste, c'est peut-être pour cela que je viens d'avoir eu envie de t'écrire et que je me suis relevé, que je suis allé chercher un stylo, du papier, un sous-main (ma grande édition reliée du "Coup de dés"). J'ai des livres sur ma table de nuit, je n'ai plus envie de les ouvrir, je n'ai pas envie non plus de relire ce que j'ai écrit aujourd'hui.)

C'est peut-être très difficile. Je ne sais pas très bien pourquoi je t'écris. Entre nous des tas de mots peut-être ont eu un sens et maintenant n'en ont plus.

Une semaine encore s'est écoulée.

J'écris, puis je m'arrête, longtemps. Il faudrait que je puisse te parler. Mais je ne crois pas que tu le désires. (C'est tellement facile de donner des explications, de raisonner, de se reprendre.)

Je crois que tu t'es trompée, Marceline. Je crois, je ne sais pas, on ne peut jamais être absolument sûr. Ou bien c'est moi qui me suis trompé ? c'est possible. Je ne crois pas. Je voudrais t'en vouloir – t'en vouloir pour cette impasse, ce cul-de-sac, pour ces coups de téléphone. "Bonjour Georges, comment tu vas." Non Marceline, tu le savais très bien, cela je ne pouvais pas le souffrir, c'était pire que de l'hypocrisie.

(je n'en sais rien bien sûr. Peut-être t'ai-je mal aimée. N'ai-je pas su te satisfaire. Je ne le sais pas, ne tiens pas à le savoir. Je crois même que ce n'est pas la question. De toute façon, il y avait ton sourire. Peut-être la seule chose qui avait un sens. Y puis-je quelque chose si tu semblais heureuse.)

Oui, je sais. Les lendemains qui pleurent. La sagesse. La raison, etc etc.

Je sais. je le savais. je l'acceptais (j'avais joué le jeu) mais pas cette négation pure et simple de ce qui avait été.

Comprends-tu ce que je veux dire. Je ne sais pas. Je le répète : peut-être en te parlant une heure arriverai-je à te dire ce que j'ai envie de te dire.

J'écris. Ça n'a pas grand sens. Tu vas lire la lettre – la poser sur ton bureau – réfléchir une ou deux minutes – allumer une cigarette – hausser les épaules – tu as peut-être raison – je ne sais pas – je ne sais rien sinon que tu as oublié.

J'ai payé très cher les deux jours que j'ai vécus avec toi. Je suis seul, las, incertain.

Un immense besoin d'aimer m'a envahi, dont je sens bien qu'il sera identique à lui-même tant que je serai homme.

Mais le monde semble m'avoir fui.

Pourquoi as-tu eu peur ? Pourquoi t'es-tu sentie prise au piège ?

(pourquoi t'es-tu réfugiée dans le banal – Pourquoi m'avoir refusé, avoir nié ?)

Cette lettre est peut-être maladroite. De place en place ton cerveau accroche une phrase un peu bancale – tu enregistres, tu analyses, tu additionnes un point, tu ajoutes un argument.

Je ne sais pas ce que je veux te dire. Je ne veux pas jouer. Je n'ai jamais voulu jouer.

Et toi ?

Je me souviens de certaines de tes phrases

(je sais : il ne faut pas se raccrocher à des mots)

je me souviens de tes sourires

(je sais : il ne faut pas se raccrocher à des gestes)

Puis – Puis je n'ai plus rencontré en toi que refus. Tout est devenu prétexte. Je ne veux pas croire que tout avait été prétexte depuis notre rencontre. je ne veux pas trouver refuge dans le sordide.

Je ne comprends plus – Je ne veux plus comprendre – Pourquoi joues-tu puisque tu sais que tout peut être simple – plus simple.

(Bien sûr tu as vu Dominique. Vous avez dû me déchirer, vous renvoyer l'une l'autre mon image – caricaturée. défigurée – l'une l'autre vous vous êtes servies de prétextes.)

J'étais tellement sûr que tout était possible. Il m'était si facile d'être heureux. Je croyais qu'il était si facile pour moi de te rendre heureuse – au-delà du monde – dans un quotidien banal et sans histoires – simplement parce que nous savions nous comprendre.

Et puis – je ne sais plus – je n'ai pas reconnu ta voix – j'ai presque oublié ton visage, tes mains – ton corps.

Ne m'explique rien.

Une nouvelle semaine va commencer.

Chaque matin, chaque soir, j'attends ta lettre ou ta venue.

Je n'en peux plus – je voudrais te maudire – je ne comprends pas – je suis idiot. Ou naïf. C'est ainsi.

J'attendrai toute cette semaine.

J'aimerais qu'un jour tu aies envie, tu aies besoin de me voir. Simplement. Comme ça – peut-être parce que je suis un peu différent des autres – ou parce que tu croiras que ça te fera plaisir – ou sans raison aucune. Simplement pour que je sois près de toi.

Alors écris-moi, envoie un pneu. Appelle (vers 9 h) AUT 15-60 ou MIR 67 67 je n'y serai pas forcément, mais on te dira peut-être où je suis – ou passe chez moi – laisse un mot – donne-moi rendez-vous – à n'importe quelle heure – n'importe quel jour.

J'attendrai toute la semaine.

Ensuite ce ne sera plus possible – je veux vivre – je ne sais pas attendre.

Je ne sais pas, encore une fois – je crois avoir été très maladroit – mais pourtant honnête – je crois être allé jusqu'au bout – avoir refusé d'être mesquin.

Il m'a semblé que je n'avais pas le droit de jouer. À cause de toi. À cause de moi.

J'ai envie de toi – j'ai besoin de toi. Ça ne sert peut-être à rien de le dire – je ne sais pas – je m'en fous – je t'appelle – je t'attends.

Georges

G. Perec
217 rue Saint-Honoré
Paris 1ᵉʳ »

« *Mardi soir*

Voici encore une lettre
Il y a de fortes chances que ce soit la dernière, puisque tu ne m'as pas téléphoné. Et je te donne raison, car aimer quelqu'un ne signifie pas que l'on soit ému et passionné comme je l'ai été au téléphone vendredi soir. Aimer quelqu'un ce n'est pas, non plus, le disputer à autrui. En tout cas, mon attitude t'a fait voir combien j'ai été de mauvaise foi en novembre et décembre. Tu le savais, d'ailleurs, comme je savais moi tes résistances à l'amour. Nous nous sommes, sur tous les plans, battus en frères ennemis.

Tu détruiras cette lettre, s'il te plaît, sauf si elle te touche et que tu veuilles bien me revoir.

La journée de samedi m'a apporté ce que je n'osais espérer si vite : l'apaisement, la fin de la jalousie, une acceptation qui n'est en rien résignée. Je savais par l'analyste, depuis le début de janvier, que nous approchions du « centre » et que le début de la guérison s'annonçait. Mon attachement hostile à toi a précipité la masse des complexes, en a fait un corps étranger. Et je me suis trouvé incisé, recru de fatigue, mais sur « l'autre rive », comme dirait un mauvais romancier. C'est magnifique, Marceline, de savoir enfin qu'on ne se détruit plus, et de sentir disponibles ce qu'on a de talent et d'intelligence. Magnifique de savoir qu'on ne vivra plus dans les manies bourgeoises d'introspection, de surveillance de soi, de peur de soi. Ce dépassement dont tu me parlais souvent, et que j'ai réalisé dans la plus grande partie de mes livres, je le rencontre aujourd'hui dans ma vie propre, et je serai peut-être, avec beaucoup de travail, l'écrivain lucide et progressiste que j'ai souhaité devenir quand j'ai commencé à écrire. Et malgré la peine que j'ai de ne pas t'avoir auprès de moi, malgré cet amour véritable et profond que tu refuses, j'ai eu aujourd'hui un bel anniversaire, marqué d'ailleurs par une longue conversation, hier, avec Courtade, et par une lettre de Barthes me disant que ma pièce, par la force du dialogue, est remarquable, et qu'il suffirait d'une régression vers le rationnel pour en faire une œuvre théâtrale absolument <u>nouvelle</u>. Quand j'ai reçu cette lettre (qui m'a donné la même joie que, voici dix ans, un mot d'Amrouche au sujet du Temps des Rencontres) j'ai failli la copier pour te l'envoyer. Mais le temps est passé des puérilités. Tu es sans doute très loin de moi, pour ce qui est de la tendresse et de la joie du corps, et ce n'est pas l'annonce d'une « réussite », ni un bouquet de violettes qui te toucheront. Je vis un amour non partagé, comme beaucoup d'hommes et de femmes, et ma seule joie profonde est de ne t'avoir jamais menti, « même par omission », malgré certaines apparences que tu as su percer. Je n'ai plus ton visage que j'aime tant, je n'ai plus ta main autour de ma figure, je n'ai plus ton intelligence auprès de moi. Mais tout vaut mieux que l'équivoque et l'humiliation. Pendant quatre jours, j'ai mendié quelque chose avec la rage de l'homme amoureux. Quatre jours qui sont derrière moi, avec le ressentiment, l'amertume, la crainte d'échouer, l'envie obstinée d'être plus que les autres, le désir malsain d'étouffer l'être qu'on aime.

Voilà, Marceline, j'aurais certainement dû t'écrire tout ceci en place de la lettre de l'autre jour, pleine de mauvaise foi. Aujourd'hui, je ne crains plus ni ta vérité, ni d'exprimer ce que je ressens. Un jour je serai peut-être un de tes amis. Pour le moment, je n'ai pour toi que de l'amour, que la volonté que tu sois ma compagne. Tes problèmes, je les connais. Ils sont difficiles à résoudre. Mais je sais aussi que tu dépasses les problèmes et que tu donnes à l'action toute sa valeur. Mais il y a en toi une femme aimante, fidèle essentiellement, et je suis peut-être le seul homme qui ait aimé à la fois ton charme, ton corps et ta profonde intelligence. Le seul peut-être qui ait voulu t'aider à t'épanouir. Aide mauvaise parfois, mais qui aurait pu devenir absolument saine. C'est sans orgueil, crois-moi, que je te dis qu'il y avait l'essentiel, entre nous, pour former un couple. Sans orgueil aussi que je te dis que tu as besoin de moi, ou du moins qu'un homme comme moi te manquera.

Je ne chercherai pas, moi, à te voir. Dès que j'aurai la voiture, je viendrai chercher le tourne-disque et les livres et je mettrai tes clés sur la table. Les choses sont simples. Comme cet air de Mozart… »

J'avais oublié ces lettres de Georges. Deux jours les séparent, il n'y a pas d'année, ce doit être 1955. Qu'est-ce que j'ai répondu à tout ça ? Je ne sais plus. Les lettres qu'on envoie sombrent parmi les papiers des autres. Ont-ils des valises d'amour comme la mienne ? Ont-ils tout jeté, ou leurs proches s'en sont-ils chargés quand il a fallu trier les affaires du mort ? J'en ai voulu à Georges de s'être fait incinérer. Pourquoi as-tu donné ton cadavre aux flammes, comme là-bas ? Tu es en photo sur ma cheminée, juste en face de mon bureau. Cette image n'est même pas le souvenir d'un moment partagé, mais un cliché connu de toi, le portrait quasiment officiel de l'écrivain qui pose avec son chat, et que j'ai photocopié, glissé dans un cadre, comme si je n'avais jamais pu combler la distance entre toi et moi, jamais su quoi te répondre, ni t'oublier.

Frères ennemis, écris-tu de nous. Deux orphelins de part et d'autre d'Auschwitz. Dedans-dehors. J'étais l'enfant déportée pavant mon enfer de livres que tu me tendais. Tu étais l'orphelin caché devenu écrivain. On a dû flirter ensemble, on a fait l'amour sûrement, une nuit, peut-être deux, puis j'ai fui te laissant sans nouvelles.

C'est la jeune survivante, en moi, que tu aimais, Georges. J'étais les yeux qui ont vu, le corps qui a survécu, j'aurais pu te raconter Birkenau où ta mère est morte avant que je n'y arrive. Mais je fuyais ce trou noir, je ne pouvais pas l'éclairer pour toi. La survivante avait raté ses deux tentatives de suicide, c'est la preuve qu'une part d'elle voulait vivre. Tu te souviens de ma fausse insouciance, du personnage de jeune fille que j'avais composé ? Tu lisais à travers elle, tu aurais mis à mal le flou dont elle avait besoin, les mensonges qu'elle se racontait. C'est vrai que tu ne me posais pas de questions, tu sentais sans doute que c'était trop tôt pour moi, qu'il m'était impensable, impossible, de partager cela. Mais moins j'en parlais, plus je laissais l'inimaginable m'escorter, plus tu m'aimais ou pensais m'aimer. Tu m'y aurais ramenée sans le vouloir.

Tout ça, je n'ai pas su te le dire, l'avais-je seulement compris ? J'étais plus âgée que toi de quelques années et d'un passage en enfer, j'en savais plus sur la vie, mais je ne savais pas comment l'exprimer, je bafouillais, je tremblais intérieurement, tu m'impressionnais sous ta carapace intellectuelle, j'admirais ta façon de parler. Quand je t'ai croisé dans le quartier, ensuite, j'ai simplement pu articuler un « Je vais te téléphoner ! ». Mais je ne t'ai pas appelé.

Je me suis nourrie de toi, et d'autres, j'ai absorbé vos sourires, votre détachement, votre langage, vos connaissances, votre désir, sans toujours pouvoir vous le rendre. Ainsi avançait la survivante, tandis que la jeune fille s'était mise en règle avec sa mère et la société. J'étais mariée – tu t'en souviens ? – tandis que je papillonnais seule à Saint-Germain-des-Prés. Je ne m'appelais plus Rozenberg mais Loridan, j'avais épousé un homme qui, contrairement à toi, ne voulait rien voir de mon côté obscur, et c'est probablement pour cela que je lui avais dit oui lorsqu'il m'avait demandée en mariage. Il s'appelait Francis, je l'avais rencontré à

Bollène, il était conducteur de travaux sur un chantier, il était beau, plus séduisant que toi, plus simple, il n'avait qu'un rêve, partir travailler au bout du monde. Et c'est ce qu'il a fait.

Il y a dans ma valise des lettres et des lettres qu'il m'écrit pour me dire qu'il m'aime et m'attend. Il est à Madagascar, je lui ai promis de le rejoindre. Je n'y suis jamais allée et il lui a fallu des années pour comprendre que je ne viendrais pas, que notre mariage n'avait aucun sens. Je l'ai fui lui aussi, vois-tu ? Je n'ai pas relu ses lettres, elles s'invitent là partout sous mes doigts, infiltrées dans toutes les strates de la valise, je les mets de côté sans voir que je les rassemble, je repousse le moment de les lire, je ne suis pas fière de moi dans cette histoire, il a attendu, souffert, il s'est durci, tandis que je vivais ma vie à Saint-Germain, forgeais mon indépendance sous la couverture du statut marital que m'offrait son nom. Je n'aurais pas dû épouser Francis. Je reviendrai à ses lettres plus tard, ou pas du tout.

Voici à nouveau l'écriture serrée d'Edgar Morin, difficile à déchiffrer même sous la loupe de ma machine. Lui aussi voyait clair en moi, et il souhaitait que ce soit réciproque, « Je voudrais que tu saches ce que je pense, ce qui m'arrive, que tu sois celle qui me connaît… quand on éprouve le besoin de parler, de se raconter à quelqu'un qu'on aime, ce n'est pas seulement pour se libérer, pour revivre, c'est pour avoir un dépositaire de sa propre vérité, c'est pour confier sa propre vérité. Regarde ce ridicule cadeau d'anniversaire auquel j'ai pensé pour toi : te remettre les clefs de moi-même ». Ai-je envie de me rappeler notre aventure née après le film, la façon dont j'ai voulu éprouver son désir, d'autant que Jean-Pierre s'éloignait ? Ses mots sont beaux mais ils ne me touchent pas, ils n'ont plus de sens, nous ne nous sommes pas revus depuis des décennies, les idylles se consument, vacillent avec les raisons fragiles qui les ont fait naître et les masques que nous portons. Le voilà qui se dit « Marcelinisé », « je veux te faire du bien, je veux qu'on te fasse du bien, j'ai trop pensé à moi quand j'ai pensé à toi. Cela, je ne veux plus le faire. J'ai compris cette nuit qu'il fallait que je change, et je le ferai ». C'est tendre, pourquoi est-ce que ça ne m'atteint pas ? Ses lettres n'ont aucune date, juste un jour, un mercredi ou un samedi indiqué en haut à droite, la chronologie vient des mots, voilà qu'ils déchantent : « J'ai mal de te voir si sauvage dans ta tristesse, si malheureuse

– presque méchante d'être si malheureuse – ne fuis pas ton ami, Marceline. Je pense à toi et je veux te voir. » Puis ils durcissent, « tout ce qui est naturel devient sinistre dans notre relation », écrit-il au terme d'une lettre qui laisse entendre que j'ai voulu renouer, refaire l'amour. Je ne me souviens pas. Je ne veux pas. Je m'entrevois, si indécise, si dure plutôt que de me laisser voir en miettes. Ne pensant qu'à moi, aux jours devant moi. Buvant l'énergie et les sentiments des autres.

Non, Georges, rien n'aurait donc pu être simple et banal. Je sortais d'un monde qui nous avait retiré notre nom, notre personne, alors sitôt revenue à la vie, sans que je puisse nommer et donc comprendre ce qui m'était arrivé, j'ai cherché instinctivement à retourner vers moi, ne laissant que peu d'espace aux autres en moi, ou alors aux grandes causes, aux tragédies du monde que j'assimilais à la mienne. Si je revoyais Edgar aujourd'hui, je l'engueulerais, je lui parlerais d'Israël qu'il fustige trop souvent, plutôt que de nous, de nos souvenirs, de ces lettres. Je ne sais pas faire autrement, l'Histoire m'a choisie, mastiquée, déchiquetée, recrachée survivante, et plutôt que de la fuir, de me soigner aux sentiments et aux passions intimes, je ne peux vivre sans elle, je la longe comme on suit un cours d'eau par peur de me perdre. J'ai vécu, aimé et travaillé tout près d'elle.

Tu avais donc raison, Georges, quand tu parlais de mes résistances à l'amour. Il me laisse pourtant toutes ces pages, ces lettres, il s'est bien battu. Et je réalise la chance ou le talent que j'ai eus d'aller vers des hommes qui m'ont laissée libre et n'ont exercé sur moi aucune autorité. Ni mon mari conduisant des travaux au bout de monde, ni vous autres, amants intelligents et protecteurs dont j'ai voulu qu'ils m'apprennent un langage dont mon enfance et ma scolarité trop courte m'avaient privée, ne m'ont obligée à quoi que ce soit. Il n'y eut, après les camps, plus aucun donneur d'ordres dans ma vie.

Je ne sais plus si son surnom était un hommage à Brigitte Bardot qui régnait sur notre époque, ou au baigneur nu qui ne quittait pas ses bras, mais je me souviens de Bébé, elle avait ajouté un sexe de garçon en caoutchouc à son poupon, elle le suçait pour provoquer l'assistance.

Je me souviens aussi de Caramel, en fugue, recherchée par sa mère, qui proposa que je l'adopte, puisque je venais d'avoir vingt et un ans. D'une certaine manière nous nous étions adoptées, au moins momentanément, protégées peut-être, en tout cas, écoutées. Je m'attachais aux filles perdues comme moi. Comme moi ne veut pas dire rescapées des camps, la plupart de mes amies revenues de Birkenau ont eu envie de calme, d'un toit, d'un mari et d'enfants qui définissent ce qu'elles feraient demain et après-demain. Pas moi. Je parle de filles qui auraient volontiers tout renégocié du destin des femmes sur les ruines encore chaudes du monde. Nous ne le formulions pas comme ça, nous en étions incapables, nous ne formulions rien du tout, mais nos gestes, nos vies, notre façon d'être réclamaient du nouveau. Nous unissions nos solitudes. J'avais rencontré Bébé et Caramel dans les bars de Saint-Germain, elles arrivaient ensemble, l'une blonde, le visage enfantin, qui minaudait encore, l'autre brune et fine, le genre de filles qu'on fuit ou qu'on suit. Moi j'aimais m'asseoir avec elles, bavarder, rire de tout, de rien. Elles avaient des amours changeantes, des familles en province auxquelles elles donnaient des nouvelles évasives, tandis que je vivais encore chez ma mère qui soupirait en me voyant partir vers l'arrêt du bus 85 qui m'emmenait vers Saint-Michel.

— Mais qu'est-ce que vous faites au bistrot ?

— On parle…

Puis la vie s'est chargée d'interrompre nos conversations, de nous éloigner comme on sépare les éléments dissipés en classe. Alors on s'est écrit. Dans la valise, j'ai retrouvé une lettre de Caramel. Quelle année ? impossible à dire. Nous ne le précisions pas, nous ne pensions pas devenir un jour des vieilles dames à la mémoire chancelante. Qu'importe. Ce qui est sûr, c'est que notre jeunesse sonnait dix ans trop tôt. La révolution sexuelle, l'assaut féministe viendraient plus tard, nous nous chargions d'en fomenter les débuts. Nos questions, nos murmures, nos secrets préparaient la décennie suivante, le combat des femmes au grand jour. C'était l'aube.

Ce jour-là, Caramel est dans la chambre d'un centre pour mineurs en fugue, elle me dit que je lui manque, qu'elle est enceinte, qu'elle ne veut pas garder l'enfant, qu'elle se débrouillera. « Et toi comment vas-tu ? vas-tu toujours au toubib ? Et pourquoi toutes ces questions puisque tu n'auras pas de sitôt cette lettre. Mais lorsque tu l'auras, tu verras que Caramel ne t'oublie pas et que vraiment elle a beaucoup d'amitié pour toi, comme elle n'en a pour personne d'autre en ce moment. » Elle écrit par fragments, par moments, elle indique le jour et l'heure, elle commence cette lettre un 27 janvier à 20 h 30, et la termine deux jours plus tard à 15 h 15.

Il fallait tout ce temps, toutes ces pages, pour nous écrire, dévoiler nos cœurs, nos élans, nos attentes, notre solitude. Nous voyagions à l'intérieur de nous-mêmes, mais doucement, c'est le plus difficile des voyages. Dans une autre lettre postée depuis Granville, elle est enceinte de six mois, elle a donc renoncé à avorter, pas pu sûrement, elle a quitté son centre de mineurs pour se cacher sous le toit d'une certaine Madame Plaisant à laquelle ses parents envoient de l'argent pour leur fille et la layette du bébé. « Ils sont assez chic dans le fond ! Ils disent aussi qu'ils ne veulent pas me voir dans l'état où je suis et qu'à Montluçon, ils n'en ont parlé à personne ! Tant mieux ! » Et Caramel tricote pour le futur bébé dont le père s'est évaporé, elle s'en va se promener dans la campagne, cueille des bouquets de violettes, entourée de filles comme elle, avec un enfant à naître ou déjà dans leurs bras. Le tableau est beau, mais à l'époque il empeste le scandale. Elle semble regretter une autre bande, « Salue Marco, Vladimir, et dis à Marco que je pense à lui », ces amitiés et ces amours que nous tissions sans formalités, et qui nous donnaient le sentiment même fugace de notre liberté. Elle ne veut plus entendre parler de Christian, son amoureux quand je l'avais croisée à Saint-Germain-des-Prés, il fabriquait des sandales à lanières qu'on enroulait autour du mollet, il habitait rue Lacépède. Étrange comme je me souviens d'une adresse et comme je peux oublier des gens. Elle écrit que le grand amour qu'elle avait pour lui a complètement disparu, et elle souligne disparu. Elle signe Roberta, son vrai prénom. Caramel est écrit à côté, entre parenthèses. Est-ce une parenthèse ou est-ce la fin de Caramel, jeune fille si drôle, si franche, cachée du monde, dévorée par l'enfant qu'elle porte ? Elle ajoute un post-scriptum, on ajoutait toujours des post-scriptum, comme on s'attarde sur le pas de la porte pour chuchoter encore. « J'ai oublié de te dire que dans mes achats j'ai une bague ! oui ! une alliance ! Étant donné qu'il y a pas mal de gens qui viennent à Granville chez Madame Plaisant, alors pour moi je préfère faire la femme mariée qu'une simple jeune fille bagatelle... n'est-ce pas ? je te quitte. Baisers. Caramel. » Elle redevient Caramel qui ment et se joue des convenances. Roberta/Caramel. Comme moi tantôt survivante, tantôt jeune fille. Tout le monde avançait masqué. Mais nous plus encore. Le monde ne nous autorisait rien.

J'ai beau chercher, je ne trouve pas trace de Bébé dans ma valise, j'aimerais la voir ressurgir en même temps que Caramel, comme au temps où nous nous sommes rencontrées, elles allaient ensemble. Mais peut-être n'avons-nous pas pris la peine de nous écrire, peut-être avons-nous laissé le monde nous éloigner et nous remettre à notre place, comme si nous savions que c'était inéluctable, que les bars et les soirs de Saint-Germain n'étaient qu'un carrefour, qu'un moment de nos vies, beaucoup de visages familiers disparaissaient d'un coup sans donner de nouvelles. Je ne me souviens même plus de son vrai prénom, juste de son visage, de sa blondeur, et de son gosse qui avait l'avantage de n'être qu'en plastique, un jouet sexuel. Quelle provocatrice ! J'étais bien timorée à côté. Un ami qui comme moi faisait des enquêtes m'avait demandé combien d'hommes j'avais eus. — 200 ! je lui avais répondu. Des mots.

Voici Éliane, le 5 janvier 1951, elle fut l'amie de ma sœur Jacqueline avant de devenir la mienne, elle m'écrit sur un papier à en-tête de l'école de filles et cours complémentaires de Bollène. Son père était le directeur de l'école, un pétainiste convaincu qui fut destitué après la guerre. L'enfant de collabo se cherche aussi, « Et Pirandello comme tout insulaire pense que chaque individu est pour les autres une île inaccessible. Je te barbe avec tout ça ! je t'avais dit que je ne savais pas écrire de lettre ». Je me souviens qu'elle avait obtenu une bourse d'art dramatique. Nous lisions, nous réclamions des mots qui claquent comme des certitudes, des figures, des alliés qui renforcent notre fragile cuirasse, nous cherchions à nous élever. « À propos je sais maintenant quelle est ma position politique et quoi que tu puisses en penser, c'est celle des anarchistes. Je m'arrête. Je crois qu'il est bien inutile pour des gens qui comme nous détestent les conventions de formuler des vœux pour l'année nouvelle. »

Françoise. 5 novembre 1951. Nous nous sommes connues à l'école de sténodactylo, elle détonnait, elle était fiancée avec un type dont la famille habitait avenue Foch, elle l'avait rencontré en faisant de l'escrime, sport de combat et d'aristo. Elle veut me parler d'une amie qui a besoin d'aide. Elle écrit « malade » au-dessus d'un mot qu'elle a raturé longtemps mais qui n'est pas difficile à deviner : « enceinte ». Et elle écrit « neveu » au-dessus d'une autre rature grasse qui cache le mot « gosse ». Elle maquille mal une grossesse non désirée en une femme malade de trois semaines qui doit accueillir un neveu. « Il faudrait que son mari n'en sache rien. Est-ce possible ? Peux-tu me donner les renseignements assez rapidement, prix, précautions à prendre, etc., etc. car je ne tiens pas à te fourrer dans un sale pétrin. Il faut que le truc soit sûr. » Son histoire n'a ni queue ni tête, quel prix faudrait-il payer pour se débarrasser d'un neveu dont on a la garde ? Ses ratures montrent à quel point nous avions peur, à quel point c'était risqué d'avorter. Mais aussi grand que soit le risque, nombreuses l'ont pris.

Et moi, aujourd'hui, plongée dans le flou et le fatras de nos mots d'alors, je ne peux m'empêcher de superposer le baigneur en plastique qui ne quittait pas les bras de Bébé, l'enfant dont ne voulait pas Caramel qui le garda pourtant, ce faux neveu inventé par Françoise, et celui qu'attendit plus tard Éliane qui n'en voulait pas non plus et que j'ai aidée à avorter dans une chambre de bonne d'un sixième étage, avant qu'elle ne parte rejoindre les rangs anarchistes italiens de Feltrinelli. Je ne peux m'empêcher de superposer nos corps, nos enfants, nés ou pas, nos histoires, comme une question qui nous était posée à toutes, puisque la société n'attendait qu'une seule chose de nous : mariez-vous et procréez. Qu'allions-nous devenir ? Avions-nous le choix ? Moi je n'ai jamais voulu d'enfant, je ne suis jamais tombée enceinte, sans avoir fait attention, ni jamais pris la pilule. Je n'ai signé le manifeste des 343 salopes que par solidarité. Mon corps était sec. Rien n'a jamais germé en moi.

Voici Jacky. « Mon mari ne me rend pas heureuse d'accord, mais il ne cherche pas à me faire de mal. » Elle m'écrit de New York où elle partit tout de suite après la guerre avec sa petite sœur Josette. Elles étaient deux orphelines dont les parents avaient été déportés, elles s'en allaient rejoindre des tantes réfugiées aux États-Unis. Jacky venait d'avoir dix-huit ans. Je devrais dire Ida. C'était son prénom quand nous nous retrouvions enfants lors des réunions de famille dans les Vosges. Son père était le cousin de ma mère, qui n'aimait d'ailleurs pas trop que je la fréquente, elle la trouvait dévergondée. Mais quand Ida et Josette se sont retrouvées seules au monde, elles se sont cachées chez nous à Bollène. Je me souviens d'Ida et moi au château avant mon arrestation.

Elle disait toujours qu'elle était la débrouil-larde et moi l'intellectuelle, parce que je lisais beaucoup et que je m'intéressais à ce que racontaient les journaux. Un jour, mon père nous a envoyées au camp de Rivesaltes avec de faux papiers qui ne laissaient pas voir que nous étions juives. La mère de Lutek était enfermée là-bas, sous la garde des Français. Les visites étaient autorisées, elle devait lui remettre quelque chose, je ne sais pas quoi. Nous avons dormi à Perpignan dans un petit hôtel qui avait l'air bien, le tenancier était jovial, il nous avait donné une chambre d'une voix forte, mais à voir entrer et sortir les hommes, nous avons fini par comprendre que c'était peut-être l'abri de quelques passes. Nous avons ri nerveuse-ment, grisées et terrifiées par notre mission, par ce qui se tramait derrière les cloisons, tout nous signifiait qu'au monde des mortels, il n'y a ni paix ni prince charmant, mais Ida et moi n'avions que quatorze ans.

Appelons-la Jacky puisque c'est ainsi qu'elle signe même avec moi, puisqu'elle a voulu se fondre dans un autre pays, une autre langue, dissoudre la douleur d'Ida sous un prénom qui sent l'Amérique. Elle tangue dix ans après être partie. « Dans la journée lorsque je suis seule ce n'est pas terrible, je m'ennuie mais mes nerfs sont au repos. Dès qu'il rentre, tout ce qu'il dit et fait m'irrite. Il n'a pas de patience avec le gosse, il crie, cinq minutes après il l'embrasse, tout à coup la maison devient un enfer, je voudrais hurler pour me délasser mais il faut se contenir et jouer la comédie. » Tant de femmes, à tant d'époques, reconnaîtraient leur vie derrière ces phrases de Jacky. Mais peut-être est-ce Ida qui tambourine sous sa plume, Ida la débrouillarde qui avait protégé sa petite sœur, trouvé un chemin de fuite pour deux petites Juives en pleine guerre, avait travaillé ensuite, gagné sa vie avant de se marier, et qui découvre qu'une vie trop calme ne guérit de rien, bien au contraire. Elle se dédouble elle aussi. Ses lettres sont longues, si longues qu'on a l'impression de l'entendre parler. Après les baisers, les formules du manque, elle signe, puis ajoute un post-scriptum sans fin qui devient une lettre qu'elle signe à nouveau. Son écriture est minuscule, je devrais renoncer à la déchiffrer, mais ses sentiments sont si violents, son besoin de parler si sincère que je m'accroche soixante-deux ans plus tard, alors qu'elle n'est plus là. Et je découvre, ou plutôt redécouvre ce qui la tracasse, elle a rencontré un élève officier sur le paquebot *Liberty* qui la ramenait en Amérique, ils ont passé beaucoup de temps ensemble pendant les quelques jours de traversée, « À l'arrivée à New York, nous étions très amis, rien que quelques baisers », puis ils se sont mis à correspondre, elle à l'aimer, « il représente pour moi tout ce que j'ai désiré dans un homme intelligent, compréhensif, sensible et un amoureux délicieux », et je lis sa lettre comme si c'était la première fois, comme si l'histoire d'amour était en cours, et le *Liberty* toujours en service sur l'océan. Voilà l'officier qui fait de nouveau escale à New York : « je l'ai vu furtivement, chaque fois, sans même pouvoir coucher avec lui, n'ayant pas de place, mais cela a suffi pour que je reste à présent très malheureuse et très très vide, nous continuons à correspondre bien sûr, ses sentiments sont réciproques mais à quoi bon, peux-tu me comprendre sans te moquer, et j'ai tellement besoin de lui, ces quelques heures passées ensemble ont été formidables, quelque chose que je n'ai jamais éprouvé de ma vie. Et maintenant supporter les enfantillages de mon mari... tu vois le tableau... » Sommes-nous vides sans hommes ?

Jacky n'est revenue qu'une fois ou deux en France, je l'ai entraînée vers mes repaires de Saint-Germain. À son retour, elle m'a écrit que j'étais pour elle la figure de la liberté, que mes idées politiques l'intéressaient et qu'il n'y en avait pas trace dans les journaux américains, qu'elle s'était sentie jeune et pleine de vie à traîner avec moi au café à minuit et à discuter jusqu'au lever du soleil de toutes ces petites choses qui pour beaucoup de gens sont insignifiantes, qu'elle viendrait l'année prochaine peut-être et qu'on les tuerait ensemble les maudits problèmes. Nous étions alors bien incapables de les nommer, elle dans sa vie étriquée de bourgeoise américaine, et moi dans ma soi-disant liberté germanopratine. Nous traînions nos morts, bien sûr, mais aussi trop de modèles censés nous remettre sur pied. J'ai cru comme elle au Prince Charmant, je l'ai espéré, plus on est libre, plus on entretient l'idée d'un homme idéal, on cherche l'âme sœur, pas le mari, c'est une longue quête où l'on s'enferme comme la bonne épouse dans sa vie rangée. Il ne viendra pas. Il n'existe pas. Il faut déserter les modèles, fuir leurs pièges, leurs barbelés invisibles. L'important, c'est d'avoir de l'air, alors tout peut commencer. « Je ne partage

71

pas ton enthousiasme sur le genre humain, du moins pas ici, l'égoïsme ici est dégueulasse, et c'est pourquoi je n'ai passé de si agréables moments qu'avec toi et ta famille pour la première fois depuis neuf ans, j'ai retrouvé des gens qui s'entraident et t'acceptent pour ce que tu es. Ici tant que tu as des dollars, tu es OK, mais autrement... » Elle se fera aux usages américains, elle restera mariée au même homme, et mourra là-bas après avoir remercié les États-Unis de l'avoir accueillie. C'est écrit dans un livre qu'elle a publié en anglais au début des années quatre-vingt, je l'ai quelque part, elle me l'avait envoyé, il doit être là dans la petite bibliothèque du bureau, à côté de la cheminée où trône Perec. Je chausse mes lunettes grossissantes, il est bien là, j'ai dû faire en sorte de ne pas l'égarer, j'en avais oublié le titre *Take care of Josette* – « Prends soin de Josette » –, c'est la phrase que ses parents ont lâchée le jour de leur arrestation, il y a une photo de Josette toute petite au dos du livre. Deux feuilles dactylographiées sont glissées à l'intérieur. C'est une lettre d'elle qui devait accompagner son colis quand elle m'a envoyé le livre, je ne m'en souviens pas. Elle explique en quelques lignes qu'elle a voulu traduire pour moi les passages où je figure. Suivent deux pages dont les premiers mots me sautent à la gorge : « Je reçois un télégramme de Madame Rosenberg : Marceline a survécu et veut te voir. » La survivante va surgir. Elle me brûle la poitrine, comme si elle allait sortir de moi. « Marceline est allongée par terre dans sa chambre, les yeux fixés au plafond, elle me dit qu'elle n'arrive pas à dormir dans un lit, qu'elle n'a plus l'habitude. Elle ne s'est pas levée pour m'embrasser, alors je me suis assise près d'elle, essayant de cacher mon chagrin à la vue de son visage crispé de peine. »

Je la vois. Il n'y a plus que les images intérieures qui soient précises. C'est moi. Jacky-Ida décrit les boucles rousses qui reviennent doucement sur mon crâne. Elle dit qu'allongée sur le tapis je lui raconte tout ce qui m'est arrivé, que je lui confie que j'aurais préféré passer par un centre avec les autres déportés plutôt que de revenir là, chez ma mère qui s'impatiente de me voir à table avec tout le monde. Jacky écrit qu'Ida lui expliqua qu'il me fallait du temps. Jacky sait bien que les adultes n'ont pas voulu nous laisser ce temps, ses tantes qui l'accueillirent quelques mois plus tard en Amérique avaient en fait arrangé un mariage avec un cousin riche et elle dut s'enfuir. Personne n'a voulu nous laisser le temps. Jacky-Ida se souvient comme d'une victoire que le jour de son départ du château, j'avais commencé à prendre quelques repas en famille. Il y a une photo d'elle sur le revers de la couverture, elle a blondi ses cheveux bruns, elle a l'air d'une Américaine chic entre cinquante et soixante ans qui a réussi. Je remets la lettre à l'intérieur. Autant qu'elle y reste, que la survivante que j'ai réchauffée de ma vie, de mes amours, de mes voyages, reste là entre les pages, le visage crispé de peine, les livres sont faits pour ça, nous empêcher d'oublier.

Les lettres aussi, même si c'est moins pré-médité. J'y retourne. Françoise : « J'envie les gens qui ont un but dans la vie. Je croyais en avoir un en essayant de gagner ma vie assez bien (but médiocre d'ailleurs) et maintenant que j'y suis arrivée, ça ne me procure aucun plaisir ; je gagne de l'argent mais je m'emmerde (c'est souligné deux fois). » Jacotte m'écrit de Bollène : « Le froid est arrivé brusquement, et rien n'est drôle dans ce sale bled, avec toutes ces gueules de bourgeois qui nous épient et, malgré leurs sourires mielleux, me traitent en rejetée de la société (because divorcée). Je n'en ai que foutre bien sûr, mais c'est un malaise de plus à ajouter aux autres. » Je brasse encore, et toutes ces lettres, toutes ces voix n'en forment plus qu'une, un chœur de femmes. « Tu sais si on me demandait en mariage, n'importe qui ?, je crois que malgré l'idée contre… », je ne sais plus qui m'écrit cela, trop de lettres, mais en voilà une qui s'épuise à feindre d'être libre et voudrait capituler. Même Caramel a fini par se marier. Elle a ouvert une boutique à Giens, et signe de nouveau Caramel.

Liliane, août 54. Elle était mariée avec le peintre Piotr Dmitrienko que ma sœur et moi avions rencontré à Saint-Germain, avec toute une bande d'artistes abstraits et goys, qui venaient déjeuner le dimanche chez ma mère sans jamais dire à leur famille qu'ils allaient déjeuner chez des Juifs, mais qui lançaient en riant « si il n'y avait pas eu les petites Rosenberg on aurait crevé de faim ». « Ma petite amie », m'écrit Liliane. Ses lettres sont pleines de mots gentils, de surnoms tendres et de banalités, le temps qu'il fait, les déplacements, et puis subitement, au détour d'une phrase, un peu avant la fin, comme on chuchote un soir en traînant avant d'aller se coucher, jaillissent quelques lignes… « Ici il fait toujours beau, je vais poursuivre quelques jours encore cette vie végétative, je repousse de toutes mes forces les doutes qui viennent trop souvent me solliciter en leur donnant rendez-vous plus tard… Ces doutes ont malheureusement des visages humains ; ils se multiplient, se superposent sans s'effacer. On verra bien. Je t'embrasse "fraternellement". À bientôt Liliane. P.S. Bons baisers de Ludmila. » Ludmila c'est sa fille, qui deviendra l'actrice Ludmila Mikaël. Liliane avait rêvé d'être comédienne. C'était une enfant abandonnée, une femme souvent trompée, je nous revois assises dans un petit bistrot à l'angle de la rue du Four, face à un magasin de mode, toujours amoureuses d'un garçon qui ne l'était pas, nous étions des compagnes de soirées solitaires, des confidentes d'amours ratées, nous gémissions ensemble. Je ne l'ai jamais perdue de vue, je nous revois marchant côte à côte à l'enterrement de son deuxième mari, elle était atteinte de la maladie d'Alzheimer. « Dans quelle manif on est ? », m'a-t-elle demandé.

Lorsque je traversais le pont du Carrousel le soir, le Louvre derrière moi, je fixais l'immeuble juste en face sur le quai, les lumières allumées dans les appartements, la fenêtre plus grande que les autres, au deuxième étage, qui donnait l'impression d'avoir été construite en désaccord avec le reste. Et j'imaginais qu'il vivait là, l'architecte.

Je l'avais rencontré dans le train. Nous étions dans le même compartiment. Il allait à Avignon, moi je descendais à Bollène, au petit château de mon enfance. Qui avait engagé la conversation ? Lui sûrement. Il était beaucoup plus âgé que moi, la quarantaine, plus à l'aise, un homme installé, un architecte reconnu. Je ne me rappelle plus l'année mais, si j'allais seule à Bollène, c'est que je vivais encore chez ma mère qui m'envoyait là-bas quand nous ne nous supportions plus. Je devais donc avoir vingt-deux ou vingt-trois ans et j'avais dû en dire assez à cet homme pour qu'il me pose des questions sur les camps, dont pourtant je ne parlais jamais. J'avais dû lui raconter le château de Gourdon, mon arrestation, ma famille, car quelques jours après cette rencontre dans le train, il sonnait à la porte.

J'étais seule. Très vite nous nous sommes retrouvés sur le lit dans la chambre de ma mère, la seule qui soit chauffée, et je le laissais faire, consentante et raide comme avec les autres hommes. Mais il prenait son temps, ses mains expertes se promenaient sur moi, glissaient sous mes vêtements, descendaient doucement, puis ses doigts se sont attardés dans mon sexe, et j'ai senti monter quelque chose que je n'avais encore jamais senti, des frissons, des décharges dans tout mon corps qui s'éveillait, se déverrouillait, alors la peur s'en est mêlée, peur de l'architecte autant que de moi, peur de me laisser aller, du plaisir qu'il était capable de me donner, c'était si nouveau, je venais de découvrir les mille terminaisons nerveuses de mon clitoris. Et je franchissais des caps, il dut le sentir, le voir, l'entendre, je ne sais plus, car il se montra de plus en plus puissant, le jeu sexuel s'emballa, il se mit à me donner des claques sur le visage, j'étais soudain perdue entre le réveil et la crainte, terrorisée, incapable de décoder ce qu'il se passait. Et ce sont les souvenirs qui m'ont submergée, l'ont emporté sur le plaisir, le lieu n'y était pas pour rien, faisant surgir le souvenir à peine déformé d'autres scènes, mon arrestation ici au château et la tentative de viol par un mafieux qui accompagnait les policiers français, puis les gifles des kapos quand j'ai croisé mon père là-bas, à Auschwitz, et suis tombée dans ses bras. La violence et la domination m'étaient plus familières que les caresses et le jeu sexuel. J'ai éclaté en sanglots. Il a arrêté.

Dans la valise, j'ai trouvé une lettre de l'architecte.

« Ouf ! me voilà rassuré. Bien sûr, je ne vous en veux pas. Preuve : la rapidité de ma réponse. Ne parlons donc plus du passé et pensons à la semaine prochaine... »

Ce sont les premières lignes. Elle n'est pas datée. Écrite un mercredi et au crayon noir. Elle semble être une réponse à un mot que j'aurais écrit. Bien sûr je ne vous en veux pas... ça veut dire que je me suis excusée. Excusée de quoi ? d'avoir pleuré, peut-être de l'avoir ensuite rapidement mis dehors. C'est lui qui aurait dû s'excuser. Il n'a probablement pas compris grand-chose à ce qui s'est joué en moi. Personne ne comprenait. La suite de sa lettre n'est qu'une longue liste d'horaires et de correspondances entre Tarascon et Avignon, Avignon et Bollène. Il semble préférer le train à Avignon le mardi soir à 18 h 01 qui pourrait l'emmener à Bollène vers 19 h 45. Il est pressé de revenir.

« Je ne vous écris pas davantage, nous aurons l'occasion de bavarder plus tranquillement dans votre reposant bled que j'ai bien envie de connaître. » C'est la dernière phrase. Je reviens au début. À l'en-tête de son cabinet en haut à gauche de la page. Il est écrit : *Architecte de la reconstruction*. La fameuse reconstruction de l'après-guerre. Mais j'étais une femme, pas un immeuble, pas un pont. Je n'ai pas répondu. Il a insisté pourtant. Voici une carte postale de lui, une photo du château d'If à Marseille, au verso de laquelle il écrit : « Et ce coup de fil ? Je l'attends à partir de lundi matin. » Je n'ai jamais cherché à le revoir.

Ce moment m'est resté longtemps pourtant, toujours suspendu entre plaisir et terreur. Je ne suis pas sûre que ça m'ait aidée d'ailleurs, cette association de la jouissance à la peur. Mais je pensais à lui, et j'espère que lui aussi. Avec le temps, une part de moi, plus mûre, plus affirmée, plus maître de sa sexualité, revisitait la scène, la comprenait mieux. Elle rentrait dans l'ordre du possible. Peut-être que le désir l'emportait finalement sur mes peurs. C'est pourquoi je levais les yeux vers cette fenêtre en bord de Seine face au Louvre en imaginant qu'il y habitait. Est-ce que je le fuyais ? Est-ce que je le cherchais ? Un peu des deux. Je ne me voyais pas monter vers cet appartement du deuxième étage, je ne me voyais pas faire ce chemin, je m'y retrouvais, tout simplement, je voulais le rencontrer à nouveau, mais plus forte, plus égale, moins encombrée de souvenirs.

Je brasse. Je tombe sur des lettres de Michel, d'Henriette. Mon frère qui parfois signe Rodolphe avec un patronyme allemand. Ma sœur. Tous deux suicidés. Morts d'un camp où ils ne sont pas allés. Il y a des émotions que je n'ai pas envie de revivre.

Et toutes ces lettres de Francis encore : « Je te quitte ma petite gosse, le travail m'attend. Peut-être penses-tu à moi, à ce grand gosse qui t'aime tant et qui te sourit. » Au fil du courrier, je deviens son petit canard, son canet, son petit gamin, lui est mon grand gosse, mon grand gamin. Très vite, trop vite, il sera mon mari. Il n'aurait pas dû m'épouser. Je pourrais écrire l'inverse, je n'aurais pas dû l'épouser, mais ce serait moins juste. Jamais je n'ai éprouvé un sentiment de culpabilité avec un homme, sauf avec lui.

Je n'étais pas une gosse, j'avais tout compris du genre humain à quinze ans, pas une adulte non plus, j'avais si peu connu de la vie, j'étais un petit être farouche, hybride, souvent cassant, doté d'un penchant pour la mort et d'un redoutable instinct de survie. Lorsque je l'ai rencontré, je sortais d'un sanatorium de Suisse, où j'avais soigné une tuberculose, et d'une seconde tentative de suicide aussi. J'étais venue me reposer au château. Étrange cette habitude que j'avais d'aller me réparer là où mon drame avait commencé, comme si, en revenant au point de départ, on pouvait tout annuler et renaître. Francis avait été engagé comme jeune conducteur de travaux sur un chantier à Montélimar. Il était de passage à Bollène. Notre idylle a donc commencé là, au petit paradis que mon père pensait avoir trouvé pour nous tous pendant la guerre, et qui devint le piège d'où l'on nous embarqua, lui et moi. Francis était jeune, beau, immense avec son mètre quatre-vingt-cinq, il avait le corps tonique et musclé d'un travailleur, envie d'aimer et de gagner sa vie en voyageant. Je bute sur mes mots d'alors. « Que n'es-tu là mon grand gosse, je serais très tendre et qui sait doucement voluptueuse, je pense intensément à toi, et je t'aime. » J'étais repartie à Paris prendre les cours de sténo que ma mère me payait, je bute sur la jeune fille, elle est amoureuse, ou croit l'être, elle promet la volupté d'un corps sec et raide qu'elle avait tenté de balancer à la flotte quelques mois plus tôt. Elle chahute mes souvenirs. La fin de l'histoire a écrasé son début, c'est si souvent vrai, l'amour est une boucle étrange, ce qui nous a fait aimer l'autre nous le fera quitter. Tout en lui contrastait avec mes tourments. Ses bras m'ouvraient le continent lointain des vies simples, je m'y lovais sans voir que j'allais vers l'opposé de moi-même.

Au bout de quelques mois, à l'hiver 1952, nous nous sommes mariés à la mairie du IXe arrondissement. Une cérémonie toute simple, sans rabbin ni curé, juste un déjeuner des familles chez ma mère rue Condorcet. Je n'avais invité ni les filles perdues, ni les intellos de Saint-Germain dont je buvais pourtant les mots et les conseils de lecture. Je cloisonnais. Est-ce que je mentais ce jour-là ? Est-ce que je me servais de lui pour échapper à ma mère, qui n'en finissait plus d'organiser des défilés de prétendants Juifs ?

— Mais j'en connais un, avais-je fini par lui dire. Et si tu ne veux pas m'acheter de casseroles, je les achèterai moi-même ! Francis n'était pas juif, mais il fit l'affaire. Ma mère se mit même à l'apprécier. Marceline était enfin casée. Cette nuit-là, pourtant, qui suivit mon mariage, nuit de noces comme on dit, mon jeune frère Michel fit une tentative de suicide, comme pour entacher de son sang la nouvelle page que je tentais d'écrire, me ramener au chapitre précédent, à ma douleur, à notre douleur. J'ai couru à l'Hôtel-Dieu. Ce n'était qu'un épisode d'une longue série de crises qui s'installaient, de plus en plus fréquentes, allaient le détruire, le tuer au même âge que notre père. Francis savait où il mettait les pieds. Il n'avait pas bronché quand je lui avais dit que je ne voulais pas d'enfant, il avait peut-être pensé que ça viendrait, ou rien pensé du tout, c'était un bâtisseur qui s'épanchait rarement, que seul l'avenir intéressait, il venait pourtant d'épouser un lourd passé.

J'ai entre les mains une lettre de novembre 1953, nous étions mariés mais rarement ensemble, moi à Paris, lui sur ses chantiers en province. Il m'écrit après un coup de téléphone où je lui ai manifestement fait part de mon inquiétude suite à une nouvelle fugue de Michel. Il s'excuse de n'avoir pas su trouver les mots, « là où je me trouvais, il ne m'était pas possible d'agir autrement. Il n'y a plus au chantier qu'un téléphone dans le bureau de la secrétaire et quand j'ai reçu ton coup de fil plusieurs personnes s'y trouvaient... ». Il dit souffrir de ma tristesse mais il avoue au bout de quelques lignes : « Chérie je laisse ce sujet, car sa substance tend à être ce que j'espérais éviter. » Je ne lui en veux pas. Pour construire un pont, il savait la profondeur d'un fleuve, mais il préférait ne pas se mesurer à mon abîme pour vivre avec moi. C'est l'Histoire qui s'écoulait entre nous, ce qui sépare le bruit du silence, les foules suiveuses et celles plus réduites qui voudraient hurler. Sa famille avait traversé la guerre comme beaucoup, laissant même réquisitionner une chambre par un officier allemand. Francis n'avait rien contre les Juifs, puisqu'il m'épousait, il ne savait pas ce que ça voulait dire, pour lui ce n'était pas un sujet. Je finirai pas le lui reprocher, mais c'est probablement l'une des raisons qui m'ont fait l'épouser, ses simplifications, sa volonté de ne voir de moi qu'une partie, la jeune fille, pas la survivante. Petite fille, répète-t-il dans ses lettres.

« Nous allons partir très très loin en Extrême-Orient en Indochine. Es-tu heureuse mon petit gamin, ma petite fille ? Nous allons partir vers d'autres cieux, aux antipodes, pour la grande inconnue, la grande aventure et ses mystères », écrit-il le 28 janvier 1954.

Et moi qui réponds : « Cette nouvelle a fait l'effet d'une bombe dans ma tête en lisant ta lettre mon gamin et l'idée de l'Indochine me sourit pleinement. »

Cette fois je mens. C'est sûr, j'ai commencé à mentir. Je me dédouble encore. Son rêve de travailler au loin épousait les frontières de l'Empire français tandis que mes interminables discussions aux terrasses des cafés parisiens m'éveillaient à la cause anticoloniale. La bataille de Diên Biên Phu eut vite fait de contrarier ses envies d'Indochine et nous partîmes ensemble mais à Belfort, où il avait été recruté pour la construction d'un aérodrome. Nous avions là-bas un petit appartement en ville. Évidemment, je m'ennuyais à mourir et lorsque j'allais le chercher sur le chantier, je l'engueulais parce qu'il tutoyait les ouvriers arabes. Je commençais à le malmener comme je le faisais avec tous mes proches. Mais il ne le prenait pas mal, il me laissait dire, ne réagissait pas à mes provocations, ne cherchait pas à avoir le dernier mot, pressentant que tous mes discours libérateurs ne parlaient que de moi. Il se félicitait même d'avoir la tête froide puisque j'avais des humeurs. Et il ne m'a pas empêchée de repartir, quand j'ai prétexté ma formation de sténodactylo pour aller passer quelques semaines à Paris. Je préférais transcrire en kilomètres la distance qui s'installait entre nous sans que nous en parlions. Je fuyais la vie qui m'attendait, si bien résumée par Josette, dont le mari travaillait avec Francis sur le chantier et qui m'écrivait depuis Belfort. « Je lis, je couds, je tricote. Mais tout de même, Jimmy est un peu plus présent. Toutefois quand il attrape un journal, cela ne change guère. Il est vrai que je dispose d'une armoire à glace où je peux me contempler de face et de profil et voir que mes rotondités sont tenaces et désespérantes. De temps en temps, je vais admirer les nouveautés belfortaines et je retourne toujours sans même l'envie d'acheter quoi que ce soit… À Paris, vous devez vous rattraper sur le manque de spectacles de l'hiver passé. Que faites-vous de vos soirées et de vos instants de liberté, car je suppose que l'entraînement de la parfaite secrétaire n'occupe pas tout votre temps ? »

J'ai oublié jusqu'au visage de cette femme enterrée vivante. Mais pas ce qu'elle représente, ce rôle subalterne qu'on attendait d'elle, de moi, cette idée qu'il fallait penser à l'autre, jamais à soi, qu'il fallait le suivre où qu'il aille et sourire, faire bonne figure. Je me suis servie de

Josette, et d'une autre, qu'on appelait Dilou, mariée à un type chargé de superviser un chantier, pour faire entendre à Francis ce qui brûlait en moi et dénigrer le poste d'épouse qu'il m'offrait.

« Évidemment mes rapports avec elles n'ont rien d'intellectuel. Ça me gêne un peu je l'avoue, car en dehors de la masse des banalités quotidiennes, j'ai l'impression terrible de ne rien avoir à dire !!! Je ne suis absolument pas victime d'un complexe de supériorité, tu dois me croire, mon amour, mais quand même, je préfère des contacts plus élevés, surtout en ce moment où je traverse une crise intellectuelle assez forte, mon <u>vouloir savoir</u> est intarissable. Au point que je souffre cruellement de mon ignorance, de mon manque de culture, et mon désir d'apprendre est si intense que j'ai éliminé pas mal de relations insignifiantes pour ne fréquenter que des gens farouchement intellectuels qui m'enrichissent énormément et qui m'ont appris, malgré eux d'ailleurs et sans qu'ils n'en sachent rien, à me dégager de moi-même, et de là, à me faire réaliser clairement l'égocentrisme excessif que je portais en moi, et dont tu m'avais déjà signalé la virulence, qui me tenait essentiellement contractée, crispée et qui m'empêchait d'ouvrir les yeux et de sentir d'autres choses combien plus vastes, plus grandes que ce petit moi intérieur...

Je ne veux plus perdre un temps précieux. C'est extraordinaire mon grand gosse de pouvoir tout te dire comme je le fais, très simplement, alors que peut-être avec un être différent, je serais obligée de dissimuler cette partie de moi!!! gamin chéri, ton pouvoir de compréhension est merveilleux, tu ne peux savoir à quel point j'apprécie l'être exceptionnel que tu es!! Je le pense très sincèrement tu sais, et je t'en suis infiniment reconnaissante!! Tu es l'être le plus cher que j'ai au monde, et je t'aime tant. C'est la vraie Marceline que tu vas trouver dans cette lettre!! L'aimes-tu ainsi?? »

« *Montélimar le vendredi 20.2.54*
Mon petit canard, depuis longtemps déjà tes lettres ne me suffisaient plus. Quoique très gentilles, elles ne m'apportaient pas ce que j'attendais, elles se ressemblaient toutes, et me donnaient un faux reflet de toi. Volontairement tu limitais leur portée, en t'attachant à des sujets sans importance, pourquoi agissais-tu ainsi? peut-être pour me faire perdre

ta trace, et te laisser ainsi plus de liberté dans tes évolutions.

Ne dis pas non, Canard ! Tu sais parfaitement que je dis la vérité. D'ailleurs dans ta dernière lette tu me dis : "C'est la vraie Marceline que tu vas trouver dans cette lettre." Pourquoi me dirais-tu cela si au fond de toi, tu n'étais pas persuadée de m'avoir leurré sur la vraie teneur de tes pensées.

Je te dis "casse-cou" Canard parce que la substance intellectuelle dont tu te satures, si elle est riche et vitale pour toi, ne le sera pas pour nous, elle sera même mortelle, et de là vient mon angoisse. Poussée par une excessive soif de "vouloir savoir", de t'élever au contact de gens farouchement intellectuels, à tel point que tu veux actuellement ignorer toute chose que tu classes insignifiante parce que non intellectuelle (excuse-moi cette répétition du mot intellectuel, c'est le contenu de ta lettre qui m'oblige à cela), tu creuses sans t'en rendre compte un irréparable fossé entre nous Canard, tu t'élèves, tu pars seule, et je ne puis te suivre, nous ne sommes plus du tout sur le même terrain, pas de compromis possible, et quand le jour viendra où nous reprendrons notre vie commune, que tu seras déracinée et que tu ne pourras plus trouver ta substance, ce sera la chute libre, vertigineuse, irrémédiable…

Cherche l'équilibre, grimpe très haut si tu es avide mais surtout garde un point d'appui, les pieds sur terre, c'est fort compatible.

Francis »

Il a raison sur la suite. Notre chute s'annonce. Si j'ai mes propres lettres entre les mains, c'est qu'il revenait, déposait ses affaires, repartait vers un autre chantier, il y eut peu de temps de vie commune entre nous, j'ai passé mon temps à promettre de le rejoindre, à mentir.

« *Jeudi matin*

Écoute grand Francis, l'inquiétude sans cesse grandissante tout au long de cette lettre pour notre amour, me rend trop malheureuse. Il n'est en rien menacé et je n'envisage pas mon évolution intellectuelle comme un fossé s'élevant entre nous.

C'était pour distinguer deux êtres dissemblables que j'ai appuyé sur cette phrase – la vraie Marceline – c'est-à-dire l'être qui vit réellement en moi, avec tout ce que cela comporte et à laquelle tu préfères ce "petit canard" auquel tu demandes de jouer une comédie perpétuelle, fausse, et dont je ne puis soutenir le rôle.

Mais grand gamin, c'est parce que mon besoin de communiquer avec mes semblables est immense, c'est parce que j'ai la sensation d'avoir un message à lancer au monde, et que cette immense compréhension m'est venue des souffrances de la vie qui m'ont tellement marquée, et cela à cause d'êtres humains au même titre que moi, mais qui se sont laissé emporter par leur plus bas instinct, c'est à cause de toutes les souffrances morales que j'ai ressenties au plus profond de moi-même (la grande compréhension ne peut venir que de la souffrance, de la douleur et seuls les êtres réellement torturés ont besoin de communiquer), c'est pour tout cela que vit en moi cette soif de la plus grande connaissance, et ce besoin de création. Ce sera ma façon à moi de faire quelque chose de valable. Mais si ta façon à toi d'aider les humains est de construire des routes, des ponts, des barrages pour l'amélioration des conditions de vie de l'homme, crois-tu que je doive mépriser tout ce que moi-même j'utiliserai ? Nous faisons quelque chose chacun à notre façon, crois-tu que la tienne n'est pas aussi valable que la mienne à mes yeux ?

Et crois-tu que notre manière à chacun d'aider le monde est si incompatible qu'il faille briser notre bonheur, notre amour !!! »

Lorsque Francis est revenu à Paris, je me souviens l'avoir emmené avec ma mère au théâtre, ma passion alors, comme en témoignent tous les programmes et articles jaunis qui sortent de ma valise. Nous étions allés voir le *Prince de Hambourg* au TNP, ils avaient apprécié, mais j'aurais voulu qu'ils le montrent davantage, l'explicitent mieux. J'étais en train de les mettre à l'épreuve. Déjà fragmentée, fragmentaire, jeune fille ou survivante, vraie Marceline ou petit canard, amoureuse ou menteuse, j'installais mon mariage sur le fossé qui sépare ce qu'on appelait alors classes savantes et classes laborieuses. Il me semblait de plus en plus impossible de raccommoder les morceaux épars de ma vie. Et bientôt il fut question de Madagascar.

« *1er mars 1954*
Le Blanc, le Français, je le connais déjà trop, c'est un bourgeois incurable, il se croit malin et très intéressant, le vernis de l'éducation l'a rendu superficiel et vain. Le Noir lui est brut,

sain nature et par cela même plus vrai que nous. Son attitude dictée plus par l'instinct que la raison.

Il y a une visite médicale avec séances de piqûres, je me permets de te rappeler que, pour partir aux colonies, une chose est indiscutable, c'est d'avoir les dents saines, il serait temps Canard que tu prennes les dispositions en conséquence et entres en clinique pour te faire soigner la bouche. Il est fort possible que nous partions ensemble, aussi il n'y a pas de temps à perdre. »

Francis a fini par partir seul. Je lui ai promis de le rejoindre. Il m'écrit d'Ambibobé, « Mon petit gamin, tu vois douze mille kilomètres nous séparent et je suis toujours près de toi… je t'aime chérie… Hier soir je m'étais isolé sur le bord de la plage allongé sur le sable, la mer venant mourir en de bruyants soupirs à mes pieds, et seul dans cette plénitude, extasié du charme du décor qui m'entoure, je rêvais à toi, à toi que j'aurais souhaité avoir tout près de moi...

Pourquoi suis-je à Madagascar ? certainement pas pour les actionnaires de la SNTP, mais bien dans l'espoir de trouver ce que mon moi cherche et espère à être, l'inconnu a toujours eu sur l'homme une extraordinaire puissance attractive. Puisse la brutale réalité laisser à mon tempérament imaginatif un terrain favorable. »

Les enveloppes cernées de rouge et de bleu arrivaient désormais au 1, rue de Chéroy, à gauche du théâtre Hébertot. C'était chez moi. J'avais quitté l'appartement de ma mère. Je vivais seule, enfin. Et je répondais amoureusement à mon lointain mari. « Francis, ce sera une vraie folie de nous retrouver. » Je faisais même la liste des choses qu'il me faudrait une fois sur place. « D'accord pour le mixer, il faudra bien l'emballer », me répond-il. Un an comme ça, à entretenir son attente. Est-ce que j'hésitais ? Pas vraiment. J'étais bien dans mon deux pièces. Une petite cuisine, avec cabine de douche, que j'avais peinte en jaune, une chambre, et deux pièces dont j'avais fait abattre la cloison de séparation pour en obtenir une grande, avec des meubles design façon Steiner, mur vert, mur gris, et une immense reproduction du *Guernica* de Picasso, de deux mètres cinquante sur un mètre cinquante. J'embrassais mon époque. Là-bas, une grande case au milieu des bananiers, citronniers et ananas m'attendait, avec l'eau, promettait Francis, mais l'électricité en pointillé.

En même temps, je m'ennuyais. J'étais moins libérée que j'en avais l'air. Je ne trompais pas Francis, j'étais encore attachée à lui quoiqu'il me manquait de moins en moins. Je vivais de l'argent qu'il m'envoyait et de mes premiers boulots de sténodactylo. Je tapais des pages pour Jean Wiener, Roland Barthes, ou une association franco-polonaise communiste. Saint-Germain-des-Prés me faisait rencontrer toute sorte de gens, pénétrer des univers qui me semblaient lumineux. Je pris contact avec une association de déportés qui me reçut très mal. — Toi déportée ? Je t'ai pas connue là-bas. Je flirtais avec Perec. Je travaillais dans un milk-bar où l'on servait du lait-fraise du côté de Richelieu Drouot. Je faisais des démonstrations à la foire de Paris pour des poêles à mazout, en criant « J'ai un poil à ma zoute ». Et Francis m'attendait, m'écrivait. « Gamin, tu ne m'avais jamais dit que tu t'es remise à fumer. Sur ta dernière lettre, une cendre de cigarette a brûlé le papier. » Ma cigarette m'avait trahie, jeune femme en train de devenir celle qu'il avait prédit avant de partir. J'étais l'huile s'il était l'eau. Mais il recouvrait très vite ses doutes et ses questions de déclarations enflammées, « Je t'aime et bientôt j'aurai enfin ton cher visage contre le mien. » Puis mes lettres se sont faites plus rares, il s'en plaignait, je lui répondais par des reproches, « Tu as voulu partir sans tenir compte de moi, et dans une certaine mesure en t'en fichant. » Je cherchais à ouvrir un conflit, mais il reprenait le chant des mots d'amour, désamorçait tout, me décrivait le paysage, les conditions de vie, et finissait par me conseiller d'emporter des shorts et des chemisiers légers aux décolletés évasés mais pas trop dégagés, tant le soleil tape dur là-bas. Alors j'ai convoqué la politique, lui ai expliqué que j'aurais du mal à mettre les pieds dans un pays colonial. J'étais de plus en plus politisée. Je vendais *L'Huma* en manteau d'astrakan. J'étais pauvre avec des signes de richesse. Le soir, je suivais ma copine Christine Sèvres, elle sortait avec Jean Ferrat qui cachait qu'il était juif. Et j'en voulais à Francis, de ce qu'il n'était pas ou plutôt de ce que j'étais en train de lui faire.

J'ai entre les mains des brouillons d'alors, des faux départs, les premières lignes inachevées d'un 13 mai 1955. « Tu es sans nouvelles de moi. Comment te dire ? », je voulais lui faire comprendre que c'était fini, mais je

n'y parvenais pas, je démarrais puis j'arrêtais.
Comment lui dire ? Mes lettres devenaient
agressives à défaut d'être franches. Il y répondait mot par mot.

« *11 septembre 1955*

Tu me dis, "je ne puis me rendre en terre
malgache assister à un certain nombre d'ex-
périences que je réprouve". Qu'en sais-tu ?
alors que le prolétariat français est soumis aux
mêmes rigueurs que le peuple malgache vis-
à-vis du colon, le problème est le même, plus
grave peut-être en France, car l'ouvrier français
lui est conscient de son déclassement, le Malgache ne l'est pas, et n'en souffre pas, à tort
peut-être il nous considère comme un peuple
supérieur (ne t'accroches pas à ce simple mot)
et dans un certain sens cela se justifie, incon-
testablement notre civilisation a des valeurs
constructives que la leur n'a pas et de loin...
Quant à moi j'en suis à cette conclusion que
j'apporte au peuple malgache par ma présence
ici, plus de bienfaits que n'importe quelle idéo-
logie triturée en de vaines et stériles discussions... »

Tant de sujets pour une rupture qui se pré-
cise. Tous les maux jamais résolus du monde

sur nos frêles épaules, les civilisations, la colonisation... c'est moi qui l'entraîne sur ce terrain, qui l'oblige à chercher ses mots, à les soupeser, à prendre position. Je l'imagine écrivant « le peuple supérieur », le regrettant aussitôt par peur de réveiller en moi tous les démons de la solution finale, mais ne le rayant pas. J'étais juste incapable de parler d'amour, de lui dire que le nôtre était fini, incapable de lui avouer que j'aimais ma liberté plus que tout. Je le trompais avec des hommes qui ne m'emmenaient nulle part, comme un Américain marié qui habitait un superbe studio derrière le Trocadéro, il était obsédé par les microbes, un peu schizophrène, à la limite de la violence, il pouvait rester des heures sans parler. Ça n'a pas duré longtemps.

Je détricotais tout patiemment, mais pour renaître ailleurs, plus sûre de moi. Je ne me drapais pas seulement dans les affaires du monde, j'avais envie d'y vivre, c'était la seule manière de surmonter mon arrestation, ma déportation, la mort de mon père, la folie suicidaire qui gangrenait ma famille. Il fallait dire adieu à Francis.

Nous nous écrivions encore, mais pour acter ce qui n'existait plus. J'étais sans doute plus dure que lui, pour arriver, sans la formuler vraiment, à la conclusion de notre rupture. Il s'y faisait, un certain érotisme exotique l'y aidait probablement, il m'avait dit clairement qu'il ne rentrerait pas, ne briserait pas sa carrière, son rêve, pour sauver notre mariage. Nous avions mûri, voilà tout. « Canard, peut-être as-tu une part considérable à ce que je suis, et si l'on peut considérer que notre union fut brève, il serait injuste de dire qu'elle fut stérile. J'affirme quant à moi, qu'elle est la plus riche, la plus belle page de ma vie, optique restreinte en vérité, car je sais que je n'ai pas pu rendre ce que tu m'avais donné. Il y a là une rupture d'équilibre qui nous fut fatale. Affectueusement. Francis »

« *22 juin 1957*. Canard voudras-tu m'aider ? J'ai peur de rentrer... Bientôt je vais rentrer après ce long et solitaire voyage. Orly... un taxi... quelques mots à la concierge et me retrouverai debout sur le palier, la main avancée vers la sonnerie de ta porte et n'oserai sonner... veux-tu m'aider à faire ce premier pas ? Seul je n'y arriverai jamais. Francis »

« *Tamatave, le 15 août 1957*. En ce qui concerne ma dernière lettre, rassure-toi, il n'était nullement question de m'imposer chez toi. Je suggérais bien humblement un peu d'aide de ta part pour faciliter notre première rencontre. Marceline, tu feras comme tu voudras... »

De ce moment où il a sonné, je me rappelle que j'étais couchée, j'avais de très fortes névralgies faciales. Il a dit qu'il voulait bien le divorce à condition que je prenne tous les torts et que je ne réclame pas d'argent. J'ai accepté. Nous nous sommes perdus de vue ensuite, entraînés par nos courants contraires. Ce fut un mariage épistolaire dont j'ai gardé le nom, quelques mois de vie commune sur cinq ans. J'ai devant moi des pages et des pages d'un papier très fin, noirci de son écriture, de ses mots d'amour, de ses descriptions des plages blanches d'écume de Madagascar, de noms exotiques, Amboasary, Fort-Dauphin, Ambilobé, Mandrare, où se posaient les chantiers de l'entreprise SNTP, de cette fin d'époque coloniale qui marqua à jamais nos générations.

Je saisis encore une lettre, elle est de moi, tapée à la machine. D'un paragraphe à l'autre, je m'énerve puis je me calme, et puisqu'il ne cesse de me dire qu'à vouloir m'occuper des grands problèmes humains, je fais le vide autour de moi, je convoque le passé : « Masse d'individus conscients et responsables qui disent je dois penser à moi, je dois penser à ma petite peau, je m'en fous, et qui sont les premiers à profiter des avantages que ceux qui se sont fait casser la gueule, qui ont lutté au mépris de leur vie pour les autres, leur ont apporté par leur victoire. Exemple la dernière guerre. »

J'exhume enfin ma guerre. Je suis sur le point de rassembler la jeune fille et la survivante. De devenir une femme.

Simone est morte. Elle prend la première place dans les journaux, chasse tout le reste pendant quelques jours : « Simone Veil est morte. » J'écoute raconter sa vie. J'y participe. Et dans un coin de ma tête, je me laisse aller à des calculs troublants, $7+8+6+5+1= 27$ et $2+7$ font 9. $7+8+7+5+0= 27$ donc 9. Les matricules parlent sur nos bras, le sien 78651, le mien 78750, ils font 9 si l'on additionne les numéros qui les composent. Et 99 femmes nous séparent sur les registres du camp. C'est vain. Plus aucun pouls à son poignet. Mais une prophétie mathématique entre nous.

Ses fils m'ont demandé de dire quelques mots sur sa tombe au cimetière Montparnasse, après le Kaddish. J'ai aligné quelques souvenirs, des émois et des terreurs de jeune fille, cette première fois où je l'ai vue, si belle, une déesse, la mieux roulée d'entre nous avec Sonia dans les douches du camp où les kapos nous hurlèrent de nous déshabiller ; et ce moment où pour échapper aux corvées alors que nous étions encore en quarantaine, je lui ai proposé de nous cacher entre les paillasses empilées, elle a dit oui, s'est allongée, j'ai mis la couverture sur elle, puis j'ai fait de même, arrangeant tant bien que mal une autre couverture sur moi. Quand il n'y eut plus de bruit, nous sommes sorties de notre cachette, et sans nous faire prendre, nous avons marché dans nos habits de mortes pour découvrir où nous étions. Nous n'avions pas compris encore. Nous désobéissions comme des écolières. Nous sommes passées devant une baraque en bois peinte en vert qui semblait moins rudimentaire que la nôtre, des femmes y parlaient français, alors nous nous sommes approchées, mais elles nous ont chassées en nous traitant de sales juives. C'était la baraque des communistes. Nous avons perdu ensemble notre innocence.

Je ne touche plus à la valise pendant des jours. Les lettres à l'intérieur ont pourtant la force des mots en temps réel, « mon besoin de communiquer avec mes semblables est immense… j'ai la sensation d'avoir un message à lancer au monde… Cette immense compréhension m'est venue des souffrances de la vie qui m'ont tellement marquée ». Ce que j'écrivais à Francis dix ans après notre retour des camps vaut pour Simone comme pour moi. Et je l'écrivais à la période même où nous nous sommes revues. 1955. Nous nous sommes croisées par hasard, rue de Rome, dans la montée entre la gare Saint-Lazare et le boulevard des Batignolles. Nous nous étions perdues de vue après Bergen-Belsen. Nous n'étions pas revenues ensemble et nous étions allées vers ce que la guerre avait bien voulu nous laisser de survivants, parmi les amis ou les parents. Nous étions retournées à nos origines, à nos toits respectifs. Ce jour-là, rue de Rome, elle poussait un landau, m'a donné son adresse et, pressée de venir la voir, j'ai dit oui. Mais son enfant, son allure, ses diplômes, son beau mariage, tout contrastait avec moi qui vagabondais encore et faisais des listes de ce qu'il me fallait lire pour combler mon retard. Elle m'aurait installée dans son bel intérieur, m'aurait posé des questions, que deviens-tu ? Lui dire quoi ? Que j'avais un mari aux colonies, que je n'aimais plus et auquel j'écrivais de moins en moins ? Et pour amant un survivant d'Auschwitz comme nous. Il s'appelait Nat Lilenstein. Je venais de le rencontrer comme tant d'autres au hasard des terrasses de Saint-Germain-des-Prés. Il était petit, fragile, sombre, cultivé, lisait beaucoup, infusait sa douleur dans les livres, le théâtre, la politique. Il était parfois assistant au cinéma. Je reconnaissais en lui ce que nous avions tous, et que je sens chaque fois que je croise un survivant, ce double qu'on cache, tenté par la chute, je ne veux pas dire la mort. Il s'était rapidement installé chez moi. Nous formions un couple en miroir avec un numéro tatoué sur le bras. Nous écoutions de l'opéra et les camps envahissaient nos conversations. Très vite, il me confia avoir travaillé au Sonderkommando. Il avait, en plus du sien, le corps des autres sur les bras. Il buvait, devenait violent, avait des hallucinations, voyait des bestioles grimper au mur, je savais d'où ça venait et je pardonnais, même les coups contre moi.

J'aurais pu raconter ça à Simone, elle aurait compris mieux que personne. Mais je n'ai rien dit, je ne suis pas allée la voir, j'ai pensé que nous n'étions plus du même monde. J'ai navigué quelques mois encore entre mon mari aux antipodes et mon amant sorti du même enfer que moi. Avec le premier la différence était trop grande, avec le second la ressemblance destructrice. Jusqu'au jour où je suis rentrée plus tôt que prévu, je l'ai trouvé avec une autre, je l'ai mis dehors. Nat a fini par faire des films magnifiques pour la télévision, notamment *Les Révolutionnaires du Yiddishland*, j'aurais aimé que nous travaillions ensemble. Et moi j'ai fini par recroiser Simone. Des années plus tard, rue Dante. Elle a cette fois insisté pour que je la suive sur-le-champ, je n'ai pas résisté, je suis montée chez elle, remisant nos différences au rayon des apparences, et nous ne nous sommes plus jamais quittées.

En politique, nous n'étions pas du même bord, mais qu'est-ce qu'un bord, sinon une rive d'où l'on écoute et interprète le bruit du monde ? Nous étions du même transport, du même quai, du même camp. Nous étions des femmes dures. La politique, la vie, les hommes traversaient nos discussions mais nous étions des confidentes de l'Avant, nous revenions vers les camps ensemble, parfois même en souriant ou en rigolant au détour d'un souvenir. Et je lui voyais parfois des gestes, des poses, un relâchement qu'elle ne s'autorisait jamais en public. Alors les jours où je butais sur la raideur et les réserves de sa fonction, je le supportais mal, je rentrais énervée, déçue, je disais : « Je n'irai plus » et Joris me répondait : « Tu y retourneras, c'est une femme formidable. »

Là-bas, quand l'une de nous mourait, on l'oubliait, on ne pleurait pas. Le deuil n'existait plus. Nous étions les miroirs les unes des autres. Je m'accrochais aux regards des plus déterminées d'entre nous. Celui de Simone en faisait partie. Maintenant qu'elle n'est plus là, je sens bien que je pleure à l'intérieur. Je l'ai dit au cimetière : Nous nous sommes rencontrées pour mourir ensemble.

J'ai rouvert la valise. Je tombe sur une photo en noir et blanc. Elles sont combien à l'intérieur ? J'ai envie de dire à l'intérieur, car j'ai l'impression d'ouvrir une porte, de rentrer dans une pièce autant que dans le passé. Elles sont huit, collées les unes aux autres sur un canapé ou un lit, souriantes, complices, elles se parlent, se regardent, ignorent l'objectif, unies comme les perles sur les longs colliers qui ornent leus robes. Elles sont algériennes, poseuses de bombes du FLN. Cela fait un mois que la guerre est finie, close par les accords d'Évian, mais elles ne sont libres que depuis quatre jours. 25 avril 1962, dit un tampon au verso. J'étais venue les interviewer ce jour-là. J'ai oublié leurs noms mais je pense à Simone en les regardant. Elle était alors directrice de

111

l'administration pénitentiaire. Je lui avais dit :
« Comment tu peux accepter un tel poste ? »
Mais elle l'avait occupé avec toute sa mémoire,
toute son humanité, et elle avait veillé sur ces
filles-là en particulier. Elle avait convaincu
le ministre de la Justice, Edmond Michelet,
ancien Résistant déporté à Dachau, puis le
cabinet du général de Gaulle, que ces femmes
étaient en danger dans les geôles coloniales
aux mains de l'armée. Elle avait obtenu que
toutes soient transférées vers des prisons du
continent, à Pau, Rennes, Paris, Marseille et
ailleurs. Il lui arriva même de leur rendre des
visites inopinées pendant ses vacances, en laissant mari et enfants l'attendre sur un parking.
Elle les avait sauvées.

Je les fixe encore, ces filles sur la photo,
armée de ma loupe, elles sont floues pour moi,
mais bien qu'elle soit de profil je reconnais
maintenant Djamila Boupacha au centre, pieds
nus dans une robe blanche, elle fut condamnée à mort pour une tentative d'attentat à
Alger, qu'elle n'avoua que sous la torture. À
sa droite, presque allongée, on dirait que c'est
Zhora Drif, elle avait déposé une bombe au
Milk Bar d'Alger, tuant plusieurs personnes
dont des enfants, et fut condamnée à vingt ans

de travaux forcés. Les autres, je ne sais plus. Mais c'est moins leur histoire à chacune qui me fascine que ce groupe de femmes brunes, le mouvement de leurs corps qui se prélassent, s'emboîtent, se frottent les uns aux autres, comme si, revenues à l'air libre, la promiscuité des cellules ou du combat était encore en elles. Je devine leurs orteils, leurs mollets nus, leurs jupes courtes, leurs grands colliers et leurs cheveux, ces beaux cheveux bruns, ondulants, bouclés, relevés en chignon ou coupés dans la nuque. Et je ne peux m'empêcher de les regarder à la lumière sombre d'aujourd'hui, puisqu'il est devenu si difficile à une femme arabe de laisser voir ses cheveux, ses genoux, ses chevilles, parfois même sa bouche, son nez, ses yeux. Le voile l'a couverte. Là-bas comme ici. Noir de préférence, comme le crêpe du deuil sur nos rêves.

Sur une autre photo prise le même jour, je suis là, genoux posés sur le bord du matelas, le micro tendu vers elles tandis qu'on les filme, je suis leur alliée, je leur ai peut-être demandé : « Êtes-vous heureuses ? », comme dans le film de Jean Rouch et Edgar Morin. Bien sûr qu'elles sont heureuses ! L'ivresse de la libération flotte dans la pièce. Quelques mois plus tard, je suis partie pour l'Algérie avec Jean-Pierre, nous voulions voir la victoire s'épanouir sur des milliers de visages comme sur ceux des filles. Nous avons été servis. Les regards étaient lumineux, notre caméra s'est posée sur eux, ignorant les premiers règlements de comptes et lynchages qui concluent toutes les guerres. Nous en avons fait un film jamais diffusé qu'on baptisa *Algérie Année zéro*. Dès l'An Un, le FLN décréta le parti unique et autoritaire. Fin du rêve. L'antisémitisme a ressurgi. Et au fil du temps, le chantier de ma jeunesse vibrante et militante est devenu un foyer de l'islamisme qui frappera le monde au tournant du siècle. Les poseurs de bombes agissent partout au nom d'un fascisme religieux et non plus au nom de la liberté des peuples. Mais je ne regrette rien. J'entrevois à travers ma loupe les reflets des grandes espérances que j'ai eu la chance de connaître. Des jupes au-dessus du genou qu'on ne voit plus guère. Des femmes à qui la guerre comme toutes les guerres a donné une autonomie et une autorité qu'on leur reprendra. La courbe de ma vie a connu le pire et le meilleur de l'humanité, les usines de la mort, comme les élans du progrès. Puis l'horizon qui s'obscurcit à nouveau.

À la mort de Simone, une amie m'a écrit d'Algérie, elle tenait à m'informer qu'un ancien détenu du FLN lui avait rendu hommage. Dans une tribune, Mohand Zeggagh a raconté tout ce qu'elle avait fait pour les Algériens emprisonnés, et il écrit même qu'il ne fut pas surpris d'apprendre alors que la protection au sein du gouvernement venait de deux anciens déportés des camps nazis. Mais ces mots-là, qui les a entendus ? Qui les a relayés ? Sont-ils audibles aujourd'hui ? Il faut répéter qu'une Juive survivante d'Auschwitz a tout fait pour sauver des femmes arabes de la torture et du viol. Il est là le sens de l'Histoire, et de l'humanité. Mais nous l'avons perdu. À moins qu'il n'y ait aucun sens, que j'ai simplement eu besoin d'y croire comme beaucoup d'autres au sortir de la guerre. Il n'y a qu'un balancier, faisant et défaisant.

Une lettre émerge du fatras de la valise, portant le pâle tampon PRISON DES BAUMETTES. FEMMES. Ça ne peut être qu'Anette, enfermée avec d'autres filles du réseau d'aide au FLN. Anette Roger. « *7 mars 1960*. Les barro... les barro... les barro... encore des barro... Mon avocat parisien m'apporte une jolie rose. Il est gaulliste à tous crins… de gauche. On me laisse insulter avec désinvolture. Je m'ennuie. Ça me rend bête. J'évite de réfléchir sur la psychopathologie du détenu. Je tricote des brassières. 3 points à l'endroit, 2 à l'envers. » Anette est enceinte. « 4 mois aujourd'hui que je suis ici. Qu'ont été ces quatre mois pour vous deux. » Nous deux, c'est Jean-Pierre et moi. « J'aimerais me balader dans une voiture décapotée… je porterais un foulard en mousseline rose… » Elle se met à rêver d'une virée avec Jo son compagnon vers l'Italie. « On vous retrouverait à Florence… On va manger dans une trattoria sombre de Santa Crocce, des bouteilles de vin sont pendues aux poutres noires de saleté… on te persuade d'en boire… » Anette rêve de choses simples et douces, de soirées chaudes et bien arrosées. C'est pourtant une combattante endurcie, elle est entrée dans la Résistance à dix-huit ans, a rejoint le parti communiste quelques années après la guerre pour n'y rester que trois ans, et elle a embrassé naturellement la cause algérienne. Il y a si longtemps que nous ne nous sommes pas parlé que j'ai subitement l'impression d'avoir abandonné la prisonnière. Une autre lettre d'elle. Un mois plus tôt.

12 février 1960. Les sentiments l'emportent sur la politique, mais nous avons toujours mélangé les deux. « Pense à ce que ces trois mots "je t'aime" peuvent exprimer de sentiments différents. Ils sont le symbole graphique d'un monde de choses... d'impondérables... et pourtant, ils sont précis quand nous les avons interprétés et... je te dis "je t'aime Marceline", je pense à toi, à vous tout le temps... Lorsque l'émotion de ces premières lettres sera atténuée, je vous écrirai à tous les deux plus longuement. Je voudrais être ce que vous voulez que je sois. Anette. »

Nous sommes brouillées depuis des années. Le conflit israélo-palestinien a eu raison de notre profonde amitié. C'est si dur de la relire, de voir défiler ces années, sa détention, nos convictions, son affection, tout en nous sachant fâchées aujourd'hui. Encore une lettre des Baumettes, à l'encre verte cette fois. La valise complote, on dirait. Anette m'écrit qu'elle appellera son enfant Myriam si c'est une fille. « Je l'ai promis à Djamila. Celle-ci a été transférée à Pau, il y a un mois et demi, son départ m'a été très dur. Bien que nous ayons été six politiques, aux autres j'ai conscience de n'inspirer qu'une sorte d'admiration craintive, je n'ai avec elles aucun contact réel. (On mesure bien ici ce que pourraient être les difficultés pour résoudre le problème de la femme dans les pays arabes.) Avec Djamila c'était bien différent nous avons créé une amitié sans doute déterminée par les circonstances. » S'agit-il de la même Djamila que sur la photo ? Peut-être. Je ne sais plus. Anette sortira de prison pour accoucher et s'évadera vers Tunis, laissant derrière elle Jo et leurs trois enfants pour s'en aller soigner les traumatismes des soldats algériens réfugiés en Tunisie. Elle était médecin neurologue. À la victoire, elle rejoindra le cabinet du ministre de la Santé algérien. Tout cela doit être illisible, incompréhensible aux yeux des plus jeunes qui connaissent la suite. Nous n'étions pas totalement incrédules pourtant. Anette s'inquiète déjà du statut de la femme arabe. Mais c'était comme si nous n'avions pas le choix. Il fallait agir. Choisir son camp. J'ai envie de l'appeler. Si je ne le fais pas aujourd'hui, portée par l'émotion, je ne le ferai plus. J'ai quelque part un vieux numéro. Elle décroche.

— Marceline !

— Oui. Je suis en train de lire les lettres que tu m'as envoyées de prison et ça me bouleverse qu'on ne se parle plus à cause des histoires de Palestiniens. Quel âge tu as maintenant ?

— Quatre-vingt-treize ans.

— T'es vieille ! Je n'en ai que quatre-vingt-huit. Et qu'est-ce que tu fais ces temps-ci ?

— Je continue à faire des conférences sur la résistance, le racisme…

— Et tu parles de la Shoah ?

— Bien sûr.

— Eh ben je te trouve pleine de courage de continuer.

— Et toi qu'est-ce que tu fais ?

— J'écris un livre sur l'amour. Sur comment vivre à deux sans se faire chier.

— Tu as une grande expérience !

— Oui, oui. Toi aussi !… oui c'est vrai, moins ces dernières années, mais il fut un temps où ça marchait pour nous… Oui, je vois toujours Jean-Pierre…

Elle vit en Bretagne. Elle était de là-bas. Je lui ai proposé de venir me voir si elle passe par Paris. Elle m'a dit qu'elle le ferait.

Dors bien, mon amour. Après une après-midi pleine d'émotion pour toi, pour moi aussi, pour nous ensemble aussi. Je t'aime, et avec mon amour, je veux renforcer en toi ta valeur de toi-même, et transformer ta grande et aussi douloureuse expérience de ta vie en une confiance à toi-même, et en ce que tu veux, et pense faire seule avec moi. Je veux t'entourer (un autre verbe) de mon amour, sans que ça te gêne, au contraire que ça t'aide de vivre ta vie comme tu veux, et aussi comme...

Que s'était-il passé ou dit ce jour-là pour que Joris évoque ma douloureuse expérience de la vie, mon manque de confiance en moi ? Je ne sais plus. Il n'y a pas de date, c'est un des innombrables petits mots qu'il laissait sur la table de la cuisine avant d'aller se coucher, qu'il terminait par nos initiales dans un cœur, tout en esquissant le lendemain au bas de la page : « Le café montera l'escalier vers 8 heures mon grand amour. » Nous faisions chambre à part. Ce qui ne veut pas dire que nous attendions l'heure du café chaud pour nous retrouver. Quel plaisir de ne pas dormir dans le même lit chaque soir, de l'entendre monter vers le mien, ou de descendre vers le sien, puis de se coller l'un à l'autre, mon petit corps sec et hanté contre le sien noueux comme un vieil arbre.

Il dormait dans la chambre qui est la mienne aujourd'hui. Moi j'étais après la salle de bains et la cuisine dans ce qui est le salon désormais, puis je me suis installée à l'étage quand nous avons récupéré les combles. « Espère que ça reste chaud en haut pour toi. Si c'est froid tu viens chez moi. » Cet appartement sait tout de la topographie de nos amours, de nos pas dans les escaliers et sur les parquets cirés, de notre mode amoureux loin du carcan et de la banalité conjugale, depuis nos débuts en 1963 quand j'ai quitté la rue de Chéroy et lui ses pièces minuscules sous les toits de la rue Guisarde, jusqu'à notre déclin qui n'était pas synonyme de désamour mais du temps qui passe et gagne. Joris est mort en 1989. Et j'y vis encore, repoussant mon tour.

J'ai refermé la valise d'amour. Joris n'y est pas, il est d'une autre décennie, d'un temps où j'avais enfin trouvé avec qui et comment je voulais vivre. Ses petits mots sont rangés dans les tiroirs d'une commode. Il y a ses lettres dans la grande armoire à l'étage. Il est ici chez lui, chez nous, partout autour de moi. Je crois qu'il est temps d'en venir à mon grand amour.

Tout a commencé par écrans interposés. À la cinémathèque, j'avais vu son film *Terre d'Espagne*, tourné en 1937 au plus près des combattants républicains et raconté par les mots et la voix d'Hemingway. Il frôlait les visages, les regards, les pâles sourires de ceux que l'Histoire était en train de broyer, il ressuscitait les perdants et les bientôt morts, et j'ai retenu son nom, Joris Ivens, qui depuis longtemps déjà filmait l'humanité. Je n'en étais pas encore à faire des films, mais j'ai su que son langage pouvait être le mien. Lui m'a vue des années plus tard traverser *Chronique d'un été* avec mon micro, mes questions, mon matricule. Il a dit à Jean Rouch : « Si je la rencontrais, je pourrais tomber amoureux d'elle. » Je ne savais rien de cette confidence quand je l'ai approché l'année suivante, à la fin d'une projection de son film *À Valparaiso*. Je lui ai parlé du mien en cours sur l'Algérie et demandé quelques conseils de montage. Il m'a laissé le contact de son monteur, demandé mon adresse et, la semaine d'après, je recevais un splendide bouquet de fleurs. Nous n'avons pas pris rendez-vous ensuite. Nous avons laissé le hasard organiser notre prochaine rencontre, elle semblait inéluctable, nous nous sommes retrouvés un jour en fin de matinée entre ces murs d'une exposition de photos sur Cuba. Nous sommes allés déjeuner au Charpentier dans la foulée, et nous ne nous sommes plus quittés.

J'ai immédiatement senti avec lui quelque chose de plus fort qu'avec les autres. J'avais devant moi un homme qui avait pris la planète et son histoire à bras-le-corps, qui en avait parcouru les continents, les guerres, en avait connu les utopies, les mensonges, les silences, les craintes, les révoltes, les censures et les honneurs. C'était comme s'il en avait les clés. Et comme j'avais tenté de l'expliquer en vain dans mes lettres à Francis, j'avais besoin de me connecter au monde, j'étais trop marquée pour ne pas vouloir le changer. C'est ainsi, et non dans le confort et le silence monotones du mariage que je pouvais retrouver ma part d'humanité. Il fallait que je plonge dans la noirceur de la planète, peut-être pour y diluer la mienne, peut-être parce que le danger, la mort, l'horizon barbelé faisaient de toute façon partie de moi. Joris m'a ouvert la tête, je ne demandais que ça. Il avait trente ans de plus que moi. Une crinière blanche. Le souffle court à cause de l'asthme. Mais qu'importe notre différence d'âge. J'ai sursauté quand mon frère aîné Henri m'a dit, des années plus tard, qu'à travers lui je recherchais notre père jamais revenu d'Auschwitz. Ce n'est pas le nombre de ses années qui me rassuraient mais ce qu'il en avait fait, un long chemin, une tranchée de promeneur sensible qui a pu s'égarer, se tromper, mais qui savait ce qu'il cherchait. J'étais une fille perdue, Joris m'a donné des axes.

Il y a ici un tableau que j'aime et que j'ai toujours vu accroché chez mes parents, à Nancy, Épinal, puis à Bollène. Je l'ai récupéré quand nous avons vendu le château. C'est une croûte honnête représentant un paysage, des vertes prairies, je n'aurais pas vraiment su dire où exactement car depuis toute petite en la regardant, je me racontais l'histoire de la chèvre de Monsieur Seguin. Jusqu'au jour où Joris m'a dit : « T'es aveugle c'est un moulin, un paysage de Hollande ! » Et c'est vrai qu'il n'y a pas l'ombre d'une chèvre sur la toile, mais un moulin à grandes ailes au beau milieu. Je fixais donc depuis toujours un moulin en me demandant ce que l'on risque vraiment à vouloir être libre, sans rien savoir de don Quichotte ni de Joris Ivens né aux Pays-Bas. D'où ses fautes persistantes, ses hésitations entre masculin et féminin dans les petits mots qui me restent et me font entendre encore la musique de sa voix. D'où son surnom, le Hollandais volant, emprunté à une vieille légende dont il existe de multiples versions mais qui commence toujours par un navire parti d'Amsterdam, il s'abîme dans la tempête et reviendra hanter les mers tel un vaisseau fantôme. Roland Barthes, dans ses *Fragments d'un discours amoureux*, s'en est inspiré au chapitre de l'errance amoureuse : « Je suis ce Hollandais volant. Je ne peux m'arrêter d'errer (d'aimer). En vertu d'une ancienne marque qui me voua, dans les temps reculés de mon enfance profonde, au Dieu imaginaire, m'affligeant d'une compulsion de parole qui m'entraîne à dire "je t'aime" d'escale en escale… » J'étais le port final de son errance. Il était le mien.

J'aimais lorsqu'il disait : « Tu es mon tipi. » Car depuis tout petit, il s'était passionné pour l'Indien, qu'il soit d'Indonésie ou d'Amérique, il était fasciné par cet homme à la fois bon et cruel vivant en harmonie avec la nature et scalpant l'ennemi, au point qu'il avait déclaré à ses parents : « Je ne suis pas un enfant à vous, je suis un Indien que l'on vous a donné. » Il le raconte dans ses Mémoires, « j'avais même inventé un langage universel qui, bien sûr, était

126

le langage des Indiens », écrit-il. Il ne croit pas si bien dire. Je ne vois pas d'autre explication à notre rencontre que ce langage universel qu'il esquissa avec l'imaginaire d'un enfant et poursuivit avec ses convictions d'adulte. Notre relation sans chimères passait autant par l'affection que par le travail, la création, la politique. L'engagement augmentait l'amour. Je cherchais depuis longtemps une complicité de cet ordre-là sans savoir comment l'exprimer. Comment dire à un homme : surtout ne pas se jeter sur moi, j'aime pas me déshabiller, j'aime pas me laver, j'ai toujours pris sur moi, la sexualité m'importe et en même temps je m'en fous. Comment dire ce que soi-même on peine à comprendre ? Avec Joris tout s'est mis en place naturellement, je ne sais pas s'il avait fonctionné comme cela avec ses femmes précédentes, deux lits, deux chambres, pouvoir être seul, pouvoir être deux. Faire l'amour n'était qu'une composante parmi d'autres de notre amour. Mon corps n'était plus un enjeu enfin. Et doucement, à ses côtés, la jeune femme et la survivante ne firent plus qu'une seule.

Il aimerait sûrement lire ces lignes le concernant, il était narcissique, d'une époque où l'homme surplombait la femme. Il jouissait d'une véritable aura lorsque je l'ai rencontré, il était un mythe, l'une des grandes figures du documentaire politique et social pour ma génération, il pouvait même faire montre d'un certain opportunisme avec les gens de pouvoir, ce qui m'agaçait et je le lui disais. J'étais plus effrontée, plus contestataire, plus incasable. Nous étions une hydre à deux têtes, notre histoire n'a rien à voir avec le vieux couple du Pygmalion et sa créature. Il avait d'ailleurs de tout temps cherché la présence de femmes fortes et créatives à ses côtés. La première qu'il présenta à ses parents, c'était la photographe Germaine Krull qu'il rencontra à Berlin en 1925, elle avait été mariée à un anarchiste, anarchiste elle-même et condamnée au peloton d'exécution en Russie. Elle y échappa miraculeusement, se réfugia et s'épanouit dans l'incroyable bulle avant-gardiste et androgyne qui s'était installée dans la capitale allemande pendant l'entre-deux-guerres. Elle quitta Joris pour une femme, mais il l'épousa plus tard à Paris, lui offrant un mariage blanc et tendre pour lui procurer des papiers. Joris aimait sa liberté mais aussi celle des autres, femmes comprises. Il s'est forgé avec les années folles. Il vécut ensuite avec Hélène, une monteuse qui travaillait avec lui, ensemble ils traversèrent les États-Unis qui allaient offrir à Joris un véritable tremplin à sa carrière, et c'est elle qui conduisait la vieille Pontiac sur les routes américaines. Là-bas, il rencontra Marion Michelle, documentariste américaine, voyageuse comme lui, ils firent un bout de chemin ensemble puis se quittèrent bons amis. Apparut alors Ewa, polonaise, poète et écrivain engagé, qui se jeta dans la Vistule pour qu'il l'épouse. Ils étaient encore mariés lorsque je l'ai rencontré, mais ils ne vivaient plus ensemble, le statut marital permettait seulement à Ewa de passer d'Est en Ouest. Joris avait toujours allié travail et sentiments, il cherchait du répondant chez les femmes, il n'écrivait pas avec elles une histoire à l'échelle d'une maison ou d'une vie, mais à l'échelle du monde. Il ne laisserait pas d'enfants, mais des films-documentaires, qui sont la véritable conscience du cinéma, disait-il.

Nous parlions peu de mon passé. Il embrassait avec moi les années soixante en train d'inventer ou de réinventer la jeunesse, mais aussi la modernité du cinéma, la synchronisation du son et de l'image. Il avait commencé à faire des films au temps du cinéma muet, lorsqu'on ne pouvait pas filmer au-delà de vingt secondes, il avait suivi les évolutions technologiques, l'allongement des séquences, l'introduction du son, mais il restait d'une école où le réalisateur décidait de tout, du tempo, du texte, où ses choix, son œil, sa main, ses convictions dominaient la technique. Il expliqua, au début des années soixante, comment les avancées technologiques, en matière de cinéma, le fascinaient et l'inquiétaient en même temps. « Peut-être suis-je trop vieux ? » suggérait-il, avant de répondre lui-même négativement : « Les possibilités des nouvelles technologies me semblent annoncer une approche superficielle de la réalité, sous le contrôle de manipulateurs malins. » L'avenir ne lui a pas donné tort. Mais lorsque nous sommes partis au Viêtnam en pleine guerre, je l'ai poussé à filmer en 16 mm avec le son synchrone, ce qu'il n'avait jamais fait. Là-bas, nous voulions nous fondre parmi les villageois qui subissaient les bombardements américains sur le 17e parallèle, montrer leurs peurs, leur stress, il fallait les laisser parler, une prise de son directe. Comme femme, j'avais eu du mal à obtenir une autorisation. Puis Hô Chin Minh lui-même s'en était mêlé, il m'avait dit : « Ils t'ont pas cramée à Auschwitz ? Tu peux donc y aller. » Façon de dire : tu as survécu, tu survivras. Nous tournions sans beaucoup de moyens, avec des bouts de pelliculle variés, récupérés un peu partout. Le son c'était mon domaine, nous en parlions peu ensemble, parfois il ne comprenait pas ce que j'étais en train de faire, mais il le respectait, c'était ma responsabilité. Je voulais restituer tout le nuancier des bruits de la guerre, c'est au son que la population estimait la puissance des bombes et où elles allaient tomber. Je passais donc des nuits entières à bricoler de très longues perches de bambou pour y accrocher les micros, à attendre les bombardements, armée de mes écouteurs. J'ai fini par prendre un éclat d'obus dans la jambe, et j'ai dû quitter l'équipe le temps de me faire soigner, après quoi je suis revenue finir le film. Je l'aime énormément, il dépasse de loin l'histoire du Viêtnam, il résonne en moi, il ausculte la force et la résistance des hommes exposés à des conditions extrêmes. Il n'est signé que de Joris. Il a fallu un peu de temps pour qu'il m'accepte comme réalisatrice, au même titre que lui. Une fois, nous bavardions avec le dramaturge italien Dario Fo et sa femme, la comédienne Franca Rame. Elle était remontée ce jour-là, elle a dit : « Il se sert de moi, je n'existe pas ! »

— Tu vois, t'es pas seul, ai-je ajouté en me tournant vers Joris.

— Moi, je suis comme ça ?

— Bien sûr ! Tu ne m'as pas laissée signer *17ᵉ parallèle* avec toi !

Mais c'est venu quand nous sommes partis tourner en Chine. Joris avait moins de force, il se fatiguait plus vite, ne prenait plus de notes tandis je m'affirmais sur le tournage. J'aimais les contacts avec les gens, j'avais mille questions à leur poser. Quand nous n'étions pas d'accord sur une scène, chacun tournait sa version, et la meilleure survivait au montage. Nous avons rapporté 120 000 mètres de pellicule et 800 bobines de son, pour finalement accoucher ensemble de quatorze courts métrages, moyens métrages et longs métrages regroupés sous le titre *Comment Yukong déplaça les montagnes*. Je m'effaçais davantage au montage. Je lui laissais l'autorité finale. Je fuyais de toute façon ces petites salles où j'étouffais, j'ai du mal avec l'enfermement, chez moi toutes les portes sont ouvertes. Je me rappelle les studios de l'avenue du Maine, Joris supervisant quatre salles puisque nous montions sept courts et moyens métrages en même temps. À côté, Orson

Welles travaillait sur *Vérité et Mensonge*, un peu plus loin, Buñuel terminait je ne sais plus quel film, et l'on vit aussi passer la fluette silhouette de Godard. C'était un monde d'hommes et pas des moindres. Je n'ai jamais osé m'approcher d'Orson Welles, mais j'aimais beaucoup Buñuel qui avait ses habitudes dans un petit hôtel qui s'appelait L'Aiglon, à l'angle du boulevard Raspail et du boulevard Edgar-Quinet. Un jour, il demanda à Joris : « Est-ce que tu crois toujours ? » Il parlait évidemment du communisme auquel il avait tourné le dos depuis longtemps. Joris répondit : « Oui, je crois toujours. Je ne veux pas trahir ce qui a symbolisé un rêve. » Sa réponse je la connaissais, car j'avais moi aussi tenté bien des fois de l'éloigner de la doxa communiste. Il était plus poétique que politique, ne laissait jamais les idées toutes faites résister à la réalité qu'il rencontrait en voyageant. Mais il ne voulait pas trahir ceux qui avaient rêvé avec lui au début des années trente et avaient été exécutés par les fascistes, ne pas trahir ce moment où il avait pris son envol, cet entre-deux-guerres fou où la cocaïne était en vente dans les pharmacies et où les briseurs de chaînes se parlaient par-delà les frontières. Si l'Histoire lui a cogné sur la tête bien des fois, il expliquait toujours que ce n'était pas une raison pour enterrer le rêve, mais l'occasion de le réinventer.

J'ai moins aimé le jour où Joris a lâché : « Une femme finit toujours par être un peu ma mère. » J'ai pris cette phrase en pleine face. Mon corps, ma jeunesse se sont cabrés avec orgueil. C'était comme donner une date de péremption à notre rencontre. Et je l'imaginais vieux séducteur, homme de tous les continents, reparti à la conquête de ne je sais qui, je pouvais être vaguement jalouse de ces inconnues mais sans jamais les combattre. Notre stabilité tenait par notre imaginaire, nos convictions, et surtout par notre liberté qui ne fonctionnait que dans l'équilibre, jamais au détriment de l'un ou de l'autre.

« Quand sera brisé l'infini servage de la femme, quand elle vivra pour elle et par elle, l'homme, jusqu'ici abominable – lui ayant donné son renvoi, elle sera poète, elle aussi ! La femme trouvera de l'inconnu ! Ses mondes d'idées différeront-ils des nôtres ? – Elle trouvera des choses étranges, insondables, repoussantes, délicieuses ; nous les prendrons, nous les comprendrons. » C'est de Rimbaud. Mais Joris y souscrirait.

— La première fois qu'on s'est rencontrés, je courais derrière un taxi à Saint-Germain et tu m'as rattrapée.

— Mais non ! Ça, c'était bien après ! Plusieurs mois après ! La première fois c'était au théâtre, à la sortie d'une pièce d'Obaldia, *Du vent dans les branches de sassafras*. Tu étais avec Joris. Moi j'étais avec Claude et Jacques.

— C'est marrant que j'aie un souvenir différent. Je cours, puis tu cours derrière moi, comme dans un coup de foudre.

C'est arrivé, me dit Jean, mais pas comme ça, pas comme deux inconnus se télescopent. Il est là, assis face à moi. Il se souvient de tout. Quel âge avions-nous ? Lui dix-huit, moi trente-six, Joris soixante-six. Le cinéma, la politique nous liaient et je les aimais tous les deux. Je me glissais dans le lit de l'un comme de l'autre. Ils le savaient. Ça a duré onze ans. Nous ne formions pas deux couples rivaux, mais deux histoires parallèles qui se respectaient l'une l'autre. Il était le plus jeune de la bande – j'aime bien ce mot « bande » –, nous sortions tous ensemble, on se retrouvait au Old Navy, à la Coupole, à la cinémathèque, enfin à l'une des deux, car il y avait celle de la rue d'Ulm, celle de Chaillot, et souvent on cavalait de l'une à l'autre pour ne rien rater. C'était l'époque où un Godard, même irregardable, faisait 80 000 entrées. La tradition du cinéma était dans tout Paris. Les cercles étaient plus larges, moins hermétiques qu'aujourd'hui. La jeunesse venait de naître, ce n'était plus seulement un état passager, mais une catégorie valorisée, toisant les générations précédentes. Nous n'en étions pas, contrairement à Jean, mais il était discret, réservé, comme en contradiction avec ceux de son âge, leur arrogance. Il préféra s'installer entre Joris et moi, sans que je cherche à comprendre pourquoi. J'avais assez à démêler avec moi-même. Il travaillait avec nous sur les films du Yukong. Jean et Joris passaient des heures côte à côte dans la cabine de montage, le nez sur les images et les personnages de cette Chine révolutionnaire. Et lorsque nous finissions tard ici même dans l'appartement qui abritait notre société de production, Jean restait dormir, il s'allongeait sur le lit dans le bureau et Joris savait que peut-être j'irais le rejoindre.

— À quel moment sommes-nous tombés amoureux ? je lui demande.

— Pendant un long moment, je suis resté sans te le dire.

— Ah bon !?

— Tu as oublié mais tu le savais très bien.

— Ça faisait quatre ans que j'étais avec Joris. Avec difficulté on a géré…

— Avec difficulté ? Je dirais pas ça. Tu as géré ça de façon très détendue, et tant mieux, sinon pour moi ça aurait été invivable.

— Tu ne faisais pas d'histoires.

— J'ai pas fait d'histoires. J'en souffrais mais Joris était une donnée. Et il n'y avait pas de compétition entre nous. J'étais un petit jeune…

C'est drôle comme aujourd'hui Jean me corrige, m'oblige à sortir d'une version qui m'arrange. Comme s'il n'avait pas pu tout dire alors. J'avais effacé son attente, toute idée qu'il ait pu souffrir par ma faute. Ce trio que nous formions était de son temps, enchâssé dans une époque farouchement frondeuse et libératrice. Nous avions connu le temps où, dans les journaux, on pouvait tomber sur une demi-page totalement blanche, ça voulait dire que dans la nuit, le ministère de l'Intérieur avait interdit la parution de l'article. Cet espace blanc laissait voir la censure, il avait aiguisé nos colères, nos révoltes, agité nos têtes. Nous étions loin des consensus d'aujourd'hui qui engendrent inévitablement l'autocensure. C'était pareil en amour.

— Le travail et la politique dominaient. Sur la Chine, j'ai travaillé soixante heures par semaine, et les dimanches aussi, sourit Jean qui se rappelle bien notre ballet dans cet appartement.

— Toi et moi, c'était un faux secret, tout le monde était au courant.

— C'était la passion. Je n'ai pas peur d'utiliser ce mot pour parler de nous deux. Et Joris s'adaptait très bien. Quoique je n'en aie jamais discuté avec lui.

— Juste à la fin ?

— Non.

— Je pensais…

— Non, cette discussion aurait pu avoir lieu, mais ce n'est pas moi qui aurais pu prendre une telle initiative. Et il ne l'a pas fait. Quand ça a

été fini entre nous, j'ai simplement dit à Joris :
« Elle ne va pas bien, il faut l'aider. »

— J'étais furieuse, dévastée. J'ai failli casser
tous les vases chez ta mère et je me rappelle
t'avoir balancé des flots d'injures à la figure.

— C'était une rupture douloureuse, à un
âge difficile pour toi.

— L'âge n'a rien à voir ! C'était une blessure narcissique terrible. Et pourtant j'avais
tout fait pour que ça se passe. C'est moi qui
t'ai présenté celle pour laquelle tu m'as quittée
et que tu as fini par épouser.

— Ça c'est vrai ! un bel acte manqué. C'est
la raison pour laquelle je ne t'en ai jamais voulu
de toutes ces scènes.

Je n'aime pas ces raisonnements de l'âge.
Il peut bien dérouler ses chiffres, j'ai dû arrêter le compteur au camp, il n'y a pas qu'une
seule géographie du temps. Je n'avais d'ailleurs
pas le sentiment de vivre une relation tendre
et intellectuelle avec Joris l'aîné et une liaison
torride avec le jeune Jean. Je n'avais pas tant
changé, mon moteur était le même, chercher la
connivence, les idées, les convictions, et laisser
le corps s'abandonner parfois.

— Tu sais, me dit Jean, je suis retourné
voir nos films, il n'y a pas si longtemps à la

Cinémathèque. J'avais peur, je me suis mis au fond pour sortir si j'en éprouvais l'envie. Quarante ans avaient passé, c'est énorme. Mais je suis resté. Au fur et à mesure, c'était de mieux en mieux.

— Il y a certains films où on a gagné et qui sont des chefs-d'œuvre. Et d'autres sous surveillance, où on a perdu.

— *Une Femme, Une Famille, La Pharmacie, Une histoire de ballon* sont magnifiques. *La Caserne, Le Pétrole, Les Pêcheurs* sont beaucoup moins bien.

Nous sommes d'accord. Nous avons su filmer le quotidien, le réel, là où le pouvoir ne peut pas toujours pénétrer. Jean cite subitement Oscar Wilde : « Le drame de la vieillesse ce n'est pas qu'on se fait vieux, c'est qu'on reste jeune. » C'est si vrai. Mes petits pas d'aveugle... ses tempes blanchies... Et pourtant nous sommes là où tout s'est passé, notre beau triangle amoureux qui ferait se pâmer d'indignation les filles de vingt ans d'aujourd'hui. Quand Jean m'a quittée, Joris m'a dit : « C'est normal, il faut qu'il vive. » C'est tout. Joris et moi avions l'intelligence de nous taire et de nous protéger l'un l'autre. Nous savions très bien jusqu'où ne pas aller trop loin dans nos vérités. Pas de blessure inutile. Respecter l'autre, savoir fermer sa gueule, quitte à en souffrir. Que vivait-il de son côté ? En commençant ce livre, je pensais trouver une foisonnante correspondance amoureuse parmi les boîtes qui lui appartiennent, certaines m'avaient été remises par ses proches à sa mort, je ne les avais jamais ouvertes, je pensais vivre avec les secrets de Joris, des mots d'amour qu'il aurait écrits à d'autres, sans pour autant que les nôtres soient mensongers, je nourrissais le sentiment trouble d'être celle qui est restée, qui a vécu et travaillé à ses côtés. Mais je n'ai rien trouvé, ou si peu. Peut-être avait-il tout détruit, peut-être n'y eut-il pas autant de femmes que je le pensais. Peut-être ai-je accompagné une phase descendante de sa vie. Peut-être prête-t-on trop aux hommes.

Quand Jean s'est éloigné, je me suis rapprochée de Joris, il vieillissait, je commençais à avoir peur de sa disparition, il me disait : « Mais sors ! amuse-toi ! » Un jour, on a sonné à l'interphone en bas. « C'est Camille » a dit une voix. Je l'ai laissé monter sans savoir qui c'était. Une fois la porte ouverte, je l'ai immédiatement reconnu, le Camille de mes dix-neuf ans, beau encore, la cinquantaine, devenu pantalonnier rue d'Aboukir dans le Sentier. Il venait nous inviter à parler de la Chine devant le Grand Orient de France. Il m'avait retrouvée. Joris et moi sommes allés évoquer nos voyages devant ses frères maçons, puis très vite, Camille et moi nous sommes fixé des rendez-vous. Il était marié lui aussi, mais il pouvait m'appeler au beau milieu de l'après-midi ou à une heure du matin et me demander de le rejoindre, nous allions dans des hôtels improbables, là où de vieilles pancartes disent « Revenez dans un quart d'heure » et où la chambre se loue à l'heure, ou bien dans le XVIe arrondissement avec, aux murs, de grands miroirs pas vraiment faits pour moi. Je jouais le jeu, nous soldions l'histoire interrompue par sa famille qui avait refusé qu'il m'épouse, mais je jouais sans nostalgie, sans regrets. Je l'aurais sans doute épousé, mais je l'aurais lâché, comme Francis, je n'aurais pas pu vivre rue d'Aboukir, j'avais pris le bon chemin, celui qui menait à Joris, je n'avais d'ailleurs pas le sentiment de le tromper. Il y eut comme ça, pendant un ou deux ans, quelques rendez-vous irréguliers.

Après Camille, je n'ai plus vu personne. Je restais près de Joris. Lorsque je le laissais seul le soir, je trouvais quelques lignes à mon retour : « Mon amour j'espère que la soirée t'a donné un peu de fun et de légèreté. » C'était écrit pour combler sa trop grande fatigue, nos rythmes désaccordés. Celui-là est bon à relire après tant d'années : « Tu es partie enveloppée de ton grand manteau noir, très belle, mon amour. J'espère que tu as une bonne soirée, que tu seras détendue dans ton intérieur. Viens me voir un moment même si je dors et rêve, je saurai que tu es là. » Je retrouve quelques-unes de mes réponses : « je suis venue t'embrasser, tu étais si chaud, si tendre, je t'aime si fort en te serrant dans mes bras. »

Je deviendrai finalement un peu sa mère. Je laçais ses chaussures et nous rigolions, nous désamorcions la situation, en nous disant que nous devrions tenir un Journal de ce que nous faisions ou devrions faire l'un pour l'autre. Ces gestes quotidiens ne me pesaient pas, le prochain film était toujours en cours. Il voulait filmer la quête du vent en Chine, il cherchait le vent comme on cherche son souffle. Il partit là-bas en repérage, tandis que je restai à Paris en quête de financement. « *10 juin 1984*. Beijing. Mon amour, mon grand amour, c'est déjà quatre jours et demi que tu me manques. Assieds-toi à côté de moi, plus près, je te raconte… » Il m'écrit de l'hôtel où nous descendions toujours, aile ouest, 9ᵉ étage, avec vue sur les toits rouges de la cité plus ou moins interdite, un bureau en verre, un téléphone gris, les rideaux automatiques qui ne fonctionnent pas. Il me raconte que trois amis chinois ont traduit notre synopsis et notre lettre d'intention, son dîner ensuite avec le ministre de la Culture qui s'est bien passé. Bon vent pour le vent, lui a-t-il dit, lui promettant même de lui faire rencontrer un météorologue fou de vent.

C'est dans ces années-là que je suis allée consulter un psychanalyste. L'affaiblissement de Joris me laissait de nouveau face à moi-même. J'ai beaucoup pleuré, pas dit grand-chose la première fois. Puis je suis partie en Chine, oubliant les rendez-vous déjà pris. À mon retour, j'ai trouvé un message du thérapeute : « Vous me devez deux rendez-vous et un mouchoir. » Je n'y suis jamais retournée. « Difficile de faire tenir ensemble déporté et psychanalyse » a prévenu Anne-Lise Stern, page 106 de son livre, Le *Savoir-Déporté*. Elle venait de Birkenau comme moi, elle avait été ma chef de Bloc à Bergen-Belsen, elle était devenue psychanalyste, mais en sachant bien que sa discipline concernait les sujets un par un, leurs misérables petits secrets, leurs petites histoires, quand le déporté a lui été broyé, dépersonnalisé par l'Histoire. Je suis pourtant allée consulter Laurence Bataille ensuite, moins pour sa renommée que pour sa proximité avec moi. Je l'avais vu faire l'actrice comme sa mère, en 1947, dans *L'Île aux chèvres*, je savais qu'elle avait eu une liaison avec Nat Lilenstein avant moi, qu'elle avait épousé André Bash dont la mère Marianne était notre médecin de famille à Bollène, puis à Paris après la guerre. Laurence et André furent des combattants infatigables de la cause algérienne et ils furent emprisonnés pour ça. Nous nous connaissions donc de loin et elle m'a accueillie comme une vieille amie. Je lui ai demandé si j'avais besoin d'une thérapie. Elle a répondu : « Non, fais des films, ne t'occupe pas du reste, ta force créatrice te suffit. »

J'avais en moi et depuis longtemps, depuis les années soixante où je m'étais mise à tourner, un désir de film sur ce qui m'était arrivé. J'échaffaudais des images, des histoires dans ma tête, mais toujours des fictions. Mon imagination fuyait les archives, elle réclamait des acteurs, une interface entre ma mémoire brute et moi, un film qui sorte de mes souvenirs mais les transforme. Qu'importe ce que me disaient avec autorité Marguerite Duras ou Agnès Varda, que sur ces sujets-là, on n'invente pas. Moi je pouvais inventer puisque j'y étais allée. Vers 1965, j'ai écrit un scénario, l'histoire d'un jeune Polonais qui s'amourache d'une Juive rescapée des camps dans le Paris de cette époque des sixties, paralysé par des manifestations. C'était deux ans avant Mai 68, nous sentions bien que le vieux monde était en train de s'écrouler. J'avais confié le rôle masculin à l'acteur polonais Zbigniew Cybulski, puisque l'idée m'était venue après qu'il m'a vraiment couru après.

— Viens chez moi, m'avait-il dit.

— Jamais je ne viendrai. Je suis juive, je couche pas avec les Polacks !

— T'exagères, j'y suis pour rien.

C'est vrai qu'il n'y était pour rien, mais un Polonais, aussi beau soit-il – et il était magnifique –, reste un Polonais. Pour jouer la Juive, j'avais pensé à l'actrice allemande Alexandra Kluge. Mon projet commençait à prendre forme, je l'avais fait lire à Joris qui l'aimait, puis Zbigniew est mort écrasé en voulant monter dans un train en marche. Il avait 39 ans. J'ai rangé le scénario. Il doit être encore quelque part dans un tiroir, ou une armoire.

Ce soir du 31 décembre 1986, où il préféra rester à la maison et me laisser aller seule vers la fête, Joris laissa bien sûr un mot. « C'est minuit. Bonne Année. À la télé on danse et on fait des conneries. Je vais dormir, je pense à toi et notre film en 1987. À demain. Dors très bien mon amour. »

Il dessina en dessous le cœur rituel avec nos initiales à l'intérieur, puis une flèche entre 1986 et 1987. Et le vent, écrit-il, tout en traçant d'autres flèches, les vents avec nous et notre amour.

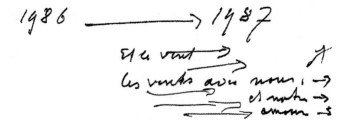

Histoire de vent fut notre dernier film. Ensuite, Joris a lâché « J'arrête ». J'ai deviné ce que ça voulait dire, si on ne sait pas quand on va mourir, on sent venir le moment où l'on s'y prépare. Il m'a dit aussi : « Nous avons filmé le vent ensemble, tu filmeras le feu sans moi. » Le feu des fours crématoires. Il avait pensé pouvoir m'aider, m'accompagner vers ce film-là, il avait une trame, l'histoire d'une Juive revenue d'Auschwitz rencontrant un Hollandais volant, mais il s'éclipsait déjà doucement. Juste avant de mourir, il a demandé à parler à ma sœur Jacqueline, je ne sais pas ce qu'il lui a dit, peut-être de prendre soin de moi. Elle me tenait la main tandis que nous marchions derrière le corbillard. Simone avait pris l'autre. Ensuite, je me suis installée dans sa chambre. Et j'ai continué à dormir à ma place, à droite du lit. Nous avions tout chamboulé des nuits conjugales, mais il nous restait cet étrange usage qui désigne à chacun son côté. Quelques années plus tard, Marie, la femme de mon frère Henri, est morte en tombant de son lit. Elle était comme moi une survivante des camps, et il nous reste à tous, anciens déportés, même des décennies plus tard, le sentiment que ce qui arrive à l'un va arriver à l'autre. Alors je me suis dit : il faut que je dorme au milieu, je ne dois plus rester au bord comme si Joris était encore là.

C'est une conquête qui n'a l'air de rien, quelques centimètres sur les draps, mais elle prend du temps, chiffonne nos habitudes et cette idée qu'il faut quelqu'un à côté de soi. Au début, je n'y arrivais pas. Alors j'ai mis des oreillers comme des parapets de chaque côté de moi, et ainsi le matin je me réveillais à la même place. Au centre. Au mitan du lit, comme disait la chanson que je chantais petite, la rivière est profonde, Lonla, et nous y dormirions jusqu'à la fin du monde. J'y dormirais seule pour le restant de mes jours. Ça m'allait. Joris me manquait, mais l'autre, cet homme qu'il faudrait à chaque femme, c'était fini. Et ça n'était pas douloureux. À cinquante ans déjà, j'avais senti ce tournant, ce moment où les hommes ne vous regardent plus, qui blesse tant de femmes, mais qui, à moi, m'a fait du bien. Fini le jeu de la séduction dont j'avais abusé mais pour me rassurer, par simple peur d'être aspirée par le vide. J'avais désormais accumulé suffisamment de souvenirs, de rencontres, de voyages pour me sentir pleine. Je ne me déshabillerai plus que chez le médecin, ce qui m'est encore difficile. Et seule au milieu de mon lit, j'ai parfois laissé mes doigts s'attarder entre mes cuisses, vers le nerf du plaisir que m'avait fait découvrir l'architecte de l'après-guerre.

Une femme, un jour, m'a contactée, elle s'est présentée comme la nièce de Francis. Je ne sais la trace que notre histoire avait laissée dans sa famille, quelque chose d'inabouti peut-être, des regrets, en tout cas elle m'a donné ses coordonnées et fortement incitée à reprendre contact avec lui. Je lui ai écrit, guidée par cette vieille culpabilité qui me taraudait. Nous nous sommes revus. Et je ne sais pas vraiment pourquoi ensuite, j'ai surjoué ces retrouvailles auprès de mon entourage, j'ai sous-entendu que nous nous étions retrouvés amoureusement, ça plaisait à tout le monde d'ailleurs cette idée qu'on pouvait réparer les histoires impossibles, même quarante ans plus tard, se retrouver, se plaire encore. Mais s'il y eut des gestes tendres, si nous nous sommes allongés l'un à côté de l'autre, s'il m'appelait encore « gamin », nous n'avons pu que constater ce qui nous séparait. Il n'avait pas su attraper la vie, il était amer, s'énervait vite comme s'il cherchait à exercer sur moi une autorité qu'il n'avait pas eue quarante ans plus tôt. Il s'emporta quand je lui racontai que j'avais rejoint les porteurs de valise pendant la guerre d'Algérie, s'énerva encore en roulant vers Bollène où il voulut que nous retournions ensemble. Nos deux mondes n'avaient fait que diverger. Francis est mort il y a quelques années maintenant, sans avoir trouvé la paix. L'ai-je trouvée moi ? Non, je ne la cherche pas, elle ne viendra pas, elle m'est impossible. Seuls comptent la quête, le mouvement, le sens. Et j'ai su jalonner ma vie de gens et de combats qui m'apaisent. Je n'ai pas perdu de vue les hommes que j'ai aimés, Jean-Pierre, Jean sont toujours là, c'est peut-être eux qui ne se sont pas éloignés de moi. Est-ce parce que j'ai été déportée ? Parce que je suis toute petite ? Je dois les rassurer d'être revenue d'où l'on ne revient pas, d'être en vie, au moins une décennie devant eux, ça leur laisse du temps.

Le téléphone sonne. C'est Charlotte qui m'appelle d'Israël. Nous étions dans la même classe à Montélimar. Elle a été arrêtée après moi, mais je ne l'ai pas croisée à Birkenau.

— Qu'est-ce que tu fais en ce moment ? demande-t-elle.

— Je travaille sur l'amour.

Un silence alors, comme si le mot amour s'égarait, se cognait dans sa tête. Elle ne sait qu'en faire.

— L'amour au camp ou quoi ?

— Après les camps.

— Ah, c'est mieux. L'amour au camp, j'en n'ai pas vu beaucoup.

— Moi non plus.

À ces amies revenues, j'ai vaguement tenté de poser quelques questions, sur leur corps, leur désir, leur intimité, sur l'amour après. Elles se sont toutes fermées. L'une d'elles m'a glissé qu'elle détestait embrasser ou qu'on l'embrasse, mais elle semblait m'en avoir déjà trop dit. La plupart ont des enfants, des petits-enfants. Nous avons repris vie chacune à notre manière. Je me rappelle le jour où je faisais une de mes enquêtes du côté de Nancy, j'ai sonné à la porte d'une belle maison et là, surprise !, c'est Mylène qui m'a ouvert. Au camp, je lui posais toujours des tas de questions, comme à une grande sœur, elle avait d'ailleurs sauvé sa petite sœur au moment de l'arrestation, elle avait réussi à l'éloigner. Je la retrouvais donc par hasard. Elle était très belle, très réservée, elle avait quatre enfants. Tout le contraire de moi. Elle m'appelle parfois. Nous nous appelons toutes régulièrement. Nous ne nous reverrons sans doute jamais, nous ne sortons plus de chez nous, mais nous vérifions que l'autre est là, sur notre cordée, qu'elle n'a pas encore lâché prise.

Et c'est moi, mais elles aussi, qu'incarne Anouk Aimé qui erre dans le camp laissé aux herbes folles, dans les baraquements vides, puis monte dans les étages et hurle au-dessus des voies ferrées rouillées : « Je suis vivante ! » J'ai réalisé mon film il y a quinze ans, je suis retournée à Birkenau, je l'ai filmé tel qu'il est aujourd'hui, petite prairie aux bouleaux rendue à la nature, mais aussi à la pente de l'oubli. C'était presque quarante ans après mon premier scénario, une tout autre histoire, mais sans archives et avec des acteurs comme je me l'étais promis. Il m'avait fallu du temps, que je sois seule. J'avais filmé l'Algérie avec Jean-Pierre, puis le Viêtnam, le Laos, la Chine avec Joris, j'avais toujours eu des partenaires. J'avais imbriqué l'amour et le travail pour m'en aller raconter et affronter le monde, je n'avais jamais été seul maître à bord, je n'osais pas, encore prisonnière d'un vieux complexe intellectuel, et de vieilles peurs aussi. Mais pour revenir à mon histoire et au camp, il fallait que j'aie pris conscience de ma solitude. C'était le cas en 2002 quand le tournage a commencé, mon siècle était terminé et il n'y avait plus d'homme dans ma vie. Il me restait « mes anges ». Je parle souvent d'eux à mes proches, car j'ai depuis longtemps le sentiment d'avoir été protégée. Ils ne sont pas les messagers d'un dieu quelconque, je ne sais pas à quoi ils ressemblent, mais c'est là-bas qu'ils ont commencé leur escorte. C'est que je devais avoir quelque chose à finir, à faire.

J'ai maintenant atteint l'âge de Joris à sa mort. Je me souviens à quel point il était déjà faible alors que nous étions en repérage en Chine pour *Une histoire de vent*. Il n'avait plus qu'un quart de poumon, il respirait difficilement. Les autorités de Pékin avaient peur qu'il ne meure chez eux. Nous avons organisé un rapatriement d'urgence, je le revois monter dans l'avion, allongé sur des chariots à repas, puis transféré directement à l'hôpital Laennec. À notre arrivée, il n'envisageait pas de mourir, jamais, en tout cas pas à voix haute, il ne parlait que de repartir, de tourner, ce que nous avons fait. Mais ce jour-là, je l'ai laissé à l'hôpital, je suis rentrée chez nous sans un sou en poche, alors je suis allée m'installer au Flore, et j'ai mangé à l'œil dans ce quartier qui m'avait accueillie et pansée après la guerre. Il en restait quelque chose, un lien indéfectible entre lui et moi. Il a bien changé pourtant. Ces vingt dernières années, j'ai vu une petite rousse vieillissante me regarder depuis des vitrines devenues trop luxueuses. J'ai mieux vieilli que mon quartier, je trouve. Ses audaces, ses libertés, ses livres, même ceux que je n'ai pas eu le temps de lire, sont en moi. Je me retire dans mon appartement. Je m'offre encore quelques pétards, bien que mon souffle soit court, comme l'était celui de Joris. Je me fous de mon âge. Ce sont les images de ma jeunesse qui m'affolent. J'ai vu la mort déjà. Des images trop nettes, des corps et des corps. Je sais qu'on meurt seul. Et je n'ai jamais compris pourquoi les yeux restent ouverts.

L'autre jour, en cherchant le sommeil, je pensais à ce livre, à ce qu'on n'y a pas mis, à ce que je n'ai pas dit, à ce que j'ai oublié, ce petit coupon rose, vieux ticket de contrôle trouvé dans la valise. J'avais écrit au recto « toujours aussi con » et au verso : « Je viens d'avoir 28 ans, on ne le croirait pas. J'ai tapé un ticket de caisse pour l'écrire. » Ma vie c'était vraiment du rabe. J'ai repensé à ce petit mot de moi dont j'ai déjà parlé, Non non, décidément je n'écrirai pas… il ne faut pas, il faut « continuer ». J'ai continué, puis j'ai écrit. L'inverse aurait été impossible. Je ne m'endormais pas, alors d'autres hommes ont surgi, j'en ai oublié ! Ce directeur de banque avec lequel j'étais pourtant partie en Italie et que j'épuisais de mes questions la nuit, ou Henri, dit Riri, un bel Arménien qui vint me chercher dans une voiture décapotable chez ma mère pour rouler vers Saint-Tropez, « Salut maman je m'en vais ! ».

Mais tous les échecs amoureux finissent par se ressembler. Je rêve certaines nuits. La dernière fois, j'habitais un appartement ancien vers le boulevard des Batignolles, mais en même temps c'était une ville que je ne connaissais pas, une ville dans la ville, pleine de labyrinthes où j'allais pieds nus sans me blesser les pieds, une ville belle, très belle, avec des places et des rochers blancs en bordure d'un cours d'eau. J'avançais, je basculais d'un paysage à l'autre, tantôt très rustique, tantôt très élaboré, c'était comme si les plus beaux décors étaient rassemblés en un seul lieu, j'étais seule, je cherchais des chaussures, un magasin de chaussures, mais les portes et les fenêtres n'en étaient pas vraiment, je me rappelle avoir vu une fille plonger dans l'eau sans avoir peur, puis je me suis réveillée, paisible, avec l'envie d'y retourner.

Dors bien, mon amour.

Œuvres citées

Joris Ivens ou la mémoire d'un regard, Robert Destanque et Joris Ivens, Éditions BFB, 1982.

Le Savoir-Déporté, Anne-Lise Stern, Éditions du Seuil, 2004.

Fragments d'un discours amoureux, Roland Barthes, Éditions du Seuil, 1977.

Du vent dans les branches de sassafras, René de Obaldia, Grasset, 2008.

La Question, Henri Alleg, Éditions de Minuit, 1958.

Chronique d'un été, documentaire réalisé par Jean Rouch et Edgar Morin, 1961.

Le Prince de Hombourg, Heinrich von Kleist, Gallimard, Folio Théâtre, 2004.

L'Île aux chèvres, Ugo Betti, l'Avant-scène, 1969.

Œuvres complètes, Arthur Rimbaud, la Pléiade, Gallimard, 2009.

Cet ouvrage a été imprimé par
CPI BRODARD ET TAUPIN
pour le compte des Éditions Grasset
en janvier 2018

Composition réalisée par Belle Page

Grasset s'engage pour
l'environnement en réduisant
l'empreinte carbone de ses livres.
Celle de cet exemplaire est de :
500 g Éq. CO_2
Rendez-vous sur
www.grasset-durable.fr

PAPIER À BASE DE
FIBRES CERTIFIÉES

N° d'édition : 20303– N° d'impression : 3027197
Première édition dépôt légal : janvier 2018
Nouveau tirage dépôt légal : janvier 2018
Imprimé en France